ICS 93.020
P 13
备案号：J2022—2015

DL

中华人民共和国电力行业标准

P
DL/T 5170—2015
代替 DL/T 5170—2002

变电站岩土工程勘测技术规程

Technical code for investigation of geotechnical
engineering of substation

2015-04-02发布
2015-09-01实施

国家能源局　发布

中华人民共和国电力行业标准

变电站岩土工程勘测技术规程

Technical code for investigation of geotechnical
engineering of substation

DL/T 5170—2015

代替 DL/T 5170—2002

主编部门：电力规划设计总院
批准部门：国 家 能 源 局
施行日期：2015年9月1日

中国计划出版社

2015 北 京

国 家 能 源 局

公 告

2015 年 第 3 号

依据《国家能源局关于印发〈能源领域行业标准化管理办法（试行）〉及实施细则的通知》(国能局科技〔2009〕52号)有关规定，经审查，国家能源局批准《压水堆核电厂用碳钢和低合金钢 第31部分:安全壳用15Mn锻件》等203项行业标准,其中能源标准(NB)106项和电力标准(DL)97项,现予以发布。

附件:行业标准目录

国家能源局

2015 年 4 月 2 日

附件:

行业标准目录

序号	标准编号	标准名称	代替标准	采标号	批准日期	实施日期
......						
185	DL/T 5170—2015	变电站岩土工程勘测技术规程	DL/T 5170—2002		2015-04-02	2015-09-01
......						

前　言

　　根据《国家能源局关于下达 2010 年第一批能源领域行业标准制(修)订计划的通知》(国能科技〔2010〕320 号)的要求,标准编制组认真总结近年全国各地变电站,特别是特高压变电站、换流站、地下变电站等岩土工程勘测实践经验,吸取相关科研成果,并广泛征求有关设计和设计管理单位意见,对原《变电所岩土工程勘测技术规程》DL/T 5170—2002 进行了修订。

　　本标准的主要内容有:总则,术语和符号,基本规定,变电站各勘测阶段工作要求,地下变电站勘测,换流站勘测,专门岩土工程和特殊性岩土勘测,地下水,勘探、原位测试及室内试验,原体试验,现场检验,岩土工程分析,勘测成品等。

　　本次修订的主要内容是:

　　1. 标准体系按《工程建设标准编写规定》(建标〔2008〕182 号)编制。在保证与相关标准协调一致的基础上,对引用标准的内容进行了删减,使得本标准内容更简练,可操作性更强;

　　2. 增加了"总则"和"术语和符号";

　　3. 在基本保持原标准结构的基础上,增加了地下水、原体试验两章内容;

　　4. 增加了 1000kV 变电站、±800kV 换流站等特高压工程岩土工程勘测的技术要求,扩大了标准的适用范围;

　　5. 增加了土壤电、热参数测试的技术内容;

　　6. 删减、修订了原标准中的部分资料性附录和部分规范性附录。

　　本标准自实施之日起,替代《变电所岩土工程勘测技术规程》DL/T 5170—2002。

本标准由国家能源局负责管理，由电力规划设计总院提出，由能源行业发电设计标准化技术委员会负责日常管理，由中国电力工程顾问集团华北电力设计院有限公司负责具体技术内容的解释。执行过程中如有意见或建议，请寄至电力规划设计总院（地址：北京市西城区安德路65号，邮政编码：100120）。

本标准主编单位、参编单位、主要起草人和主要审查人：

主　编　单　位：中国电力工程顾问集团华北电力设计院有限公司

参　编　单　位：电力规划设计总院

中国电力工程顾问集团中南电力设计院有限公司

中国电力工程顾问集团华东电力设计院有限公司

中国能源建设集团云南省电力设计院有限公司

主要起草人：高文龙　贾　剑　邓南文　艾传井　陆武萍

孟庆辉　赵春宏　彭玉环　贾　宁　闫洪军

金永军　张　磊　湛　川

主要审查人：王中平　汪海霞　王　静　袁立江　余小奎

曾渠丰　刘厚健　李世柏　李彦利　何　民

刘珍岩　汪宝明　赵书明　任亚群　邵长云

廖爱平　马海毅　杨彰智　孙茂前　严福章

张凤安

目　　次

Contents

1 总　　则

1.0.1 为了在变电站岩土工程勘测中贯彻执行国家有关的法律、法规和政策,做到安全可靠、技术先进、经济合理、保护环境、提高效益、确保质量,制定本标准。

1.0.2 本标准适用于电压等级为 110(66)kV～1000kV 新建、改建、扩建的变电站,包括开关站、串补站、地下变电站和换流站等的岩土工程勘测。

1.0.3 变电站岩土工程勘测除应符合本标准外,尚应符合国家现行有关标准的规定。

2 术语和符号

2.1 术 语

2.1.1 地下变电站　underground substation

将主变压器、高压配电装置和主控制室等主要设施布置在地下的变电站。

2.1.2 接地极　earth electrode

直流输电系统为实现以陆地或海水为回路,回流至换流站直流电压中性点而在距每一端换流站一定距离设置的接地装置和设施。

2.1.3 接地环　earthing path of feeding rod

接地极馈电元件的布置路径。

2.2 符 号

c——黏聚力;

C_S——回弹指数;

d——桩身直径;

e——孔隙比;

K_0——静止土压力系数;

Φ——内摩擦角。

3 基 本 规 定

3.0.1 变电站岩土工程勘测应分析评价站址稳定性,查明影响建站的不良地质作用,以及站内各建(构)筑物地段的岩土类型、工程性质和地下水条件等,通过岩土工程分析与评价,为站址选择、场地整治、建筑物地基基础设计和施工提供依据。

3.0.2 变电站场地宜分为复杂场地、中等复杂场地和简单场地,并宜符合下列规定:

　　1 符合下列条件之一时,宜划为复杂场地:

　　　　1)对建筑抗震不利的地段;

　　　　2)不良地质作用强烈发育;

　　　　3)地形地貌复杂;

　　　　4)岩土种类多,性质变化大,需做处理,或分布有严重湿陷、膨胀、盐渍、多年冻土等特殊性岩土,以及其他需做专门处理的岩土;

　　　　5)有影响工程的多层地下水、岩溶水及其他水文地质条件复杂,需专门研究的场地。

　　2 除复杂场地和简单场地以外的建筑场地宜划为中等复杂场地。

　　3 符合下列所有条件时,宜划为简单场地:

　　　　1)对建筑抗震有利的地段;

　　　　2)不良地质作用不发育;

　　　　3)地形地貌简单;

　　　　4)岩土种类单一,均匀,性质变化不大,无特殊性岩土;

　　　　5)地下水对工程无影响。

3.0.3 变电站建(构)筑物结构安全等级应按表3.0.3的规定

确定。

表 3.0.3　变电站建(构)筑物结构安全等级

安全等级	建(构)筑物名称
一级	500kV 及以上变电站、串补站、换流站的主要结构(如主控通信楼,500kV 及以上屋外配电装置构架及设备支架,串补平台,阀厅,主、辅控制楼,500kV 及以上 GIS 室,户内直流场等)
二级	除一级以外的其他建(构)筑物

3.0.4 根据变电站内建(构)筑物的结构安全等级和场地复杂程度应按下列条件划分岩土工程勘测等级:

　　1 甲级为复杂场地,或含建(构)筑物结构安全等级为一级的项目;

　　2 乙级为除勘测等级为甲级和丙级的项目;

　　3 丙级为建(构)筑物结构安全等级为二级且为简单场地。

3.0.5 变电站岩土工程勘测阶段的划分应与设计阶段相适应,可划分为可行性研究阶段、初步设计阶段和施工图设计阶段。当工程规模较小、总平面布置基本确定、场地条件简单且已有建筑经验时,勘测阶段可合并。

3.0.6 可行性研究阶段之前的规划选站勘测应通过搜资及踏勘,对拟选站址的稳定性和岩土条件作出初步评价。

3.0.7 对于位于复杂场地,或有特殊要求的重要建(构)筑物,必要时尚应进行施工勘测。

3.0.8 变电站岩土工程勘测应根据勘测任务书或委托书要求,编制勘测大纲。大纲编制工作宜符合下列要求:

　　1 搜集分析已有资料,踏勘站址,初步了解站址的工程地质条件;

　　2 了解变电站内建(构)筑物特点及设计要求,明确勘测目的以及需解决的岩土工程问题;

　　3 确定勘测工作内容、手段、工作量及布置原则、质量保证措施、设备配置、工期计划和勘测成果要求等;

4 确定各项勘测内容的技术要求。

3.0.9 变电站岩土工程勘测应根据场地复杂程度和需要解决的岩土工程问题,采用适宜的勘测方法。

3.0.10 岩土工程勘测所使用的试验仪器和设备应按有关规定进行检定或校准,所采用的应用软件应经过鉴定或验证。

3.0.11 为检验地基处理、桩基础或岩土治理等方案对场地的适宜性,提供技术参数,优化设计方案,确定施工工艺及检测方法,宜进行原体试验。

3.0.12 岩土工程分析应贯穿于岩土工程勘测的全过程,并根据不同分析内容,采用定性分析或定量分析的方法。

3.0.13 对地基基础以及岩土的利用和改造方案的分析评价应考虑场地工程地质条件和建(构)筑物结构类型,因地制宜,并应吸取当地建筑经验。

3.0.14 岩土工程勘测报告应在岩土工程分析的基础上,按不同勘测阶段的要求,对站址方案、地基基础方案和岩土的利用与整治方案进行论证,并提出建议,对施工和运行期间可能产生的岩土工程问题进行分析预测。

4 变电站各勘测阶段工作要求

4.1 可行性研究阶段勘测

4.1.1 可行性研究阶段岩土工程勘测应对各站址的稳定性和适宜性作出最终评价,初步确定地基类型,预测工程建设可能引起的环境地质问题,对拟选的站址方案进行比选,推荐工程地质条件较优站址。

4.1.2 可行性研究阶段岩土工程勘测宜搜集下列资料:

    1 1:5000~1:50000 地形图;

    2 区域地质、地貌资料;

    3 区域地震及地震地质资料;

    4 站址所在区域的工程地质、水文地质及地质灾害调查等资料;

    5 矿产分布及开采情况,地面变形及影响范围;

    6 本地区的建筑经验及相关技术标准。

4.1.3 可行性研究阶段岩土工程勘测应进行下列主要工作:

    1 详细了解和分析站址的区域地质构造和地震活动情况,对站址区域稳定性作出最终评价,提供站址的地震动参数;

    2 查明站址的地形地貌特征;

    3 初步查明站址及附近不良地质作用,并对危害程度和发展趋势作出判断;

    4 初步查明站址区的地层时代、成因、分布及主要物理力学性质、地下水的埋藏条件,以及场地土和水的腐蚀性;

    5 调查站址附近区域矿产分布、规划及开采情况,分析采动对站址稳定性的影响,并预测可能引起的环境地质问题;

    6 在季节性冻土地区,提供站址区土的标准冻结深度,必要时提供土的最大冻结深度;

    7 分析论证地基类型,当需要进行地基处理或采用桩基础

时,应对方案进行论证,并提出建议;

8 根据工程条件,提出开展地质灾害危险性评估、压覆矿产评估和地震安全性评价等工作的建议。

4.1.4 当50年超越概率10％的地震动峰值加速度大于或等于0.10g,地震烈度大于或等于Ⅶ度时,站址岩土工程勘测应符合下列要求:

1 对于220kV及以上变电站,当站址附近存在全新活动断裂时,应按本标准第7.1节的规定,评价断裂对站址稳定性的影响;

2 划分建筑抗震有利、一般、不利和危险地段;

3 分析评价饱和砂土和饱和粉土产生地震液化的可能性;

4 评价地震作用下岩土体发生滑坡、塌陷或崩塌等的可能性;

5 评价软土发生震陷的可能性。

4.1.5 对于复杂场地,当存在影响站址场地稳定性的不良地质作用时,应进行工程地质调查与测绘。

4.1.6 勘探点、线的布置应符合下列要求:

1 勘探点、线的布置应控制拟建站址范围,并兼顾总平面布置;

2 应按场地复杂程度布置勘探点,简单场地宜按十字状或网状布置,中等复杂场地及复杂场地宜按地貌单元布置;

3 勘探线应垂直地貌分界线、地层走向线及地质构造线。

4.1.7 勘探线数量及勘探深度宜根据变电站电压等级和场地复杂程度按表4.1.7的规定确定。

表4.1.7 可行性研究阶段勘探线数量及勘探深度

电压等级	勘探线数量			勘探深度
	简单场地	中等复杂场地	复杂场地	
330kV以下	不宜少于1条		不宜少于2条	10m～20m
330kV～750kV	不宜少于2条		不宜少于3条	20m～25m
750kV以上	不宜少于3条	不宜少于4条	不宜少于5条	25m～30m

注:1 对于330kV以下的变电站,当已有资料满足勘测要求时,可不布置勘探点。

    2 分布特殊性岩土、不良地质作用以及上述规定深度内遇基岩的站址,勘探线数量和勘探深度可适当调整。

4.1.8 根据站址内建(构)筑物的要求,应评价采用天然地基的可能性,当天然地基不能满足要求时,应对地基处理方法或桩基础选型进行评价,并提出推荐意见。

4.1.9 可行性研究阶段岩土工程勘测应对站址条件进行比选,推荐较优站址。站址比选应主要包括以下内容:

    1 站址的区域稳定性,不良地质作用发育情况及治理难易程度;

    2 地形地貌对场地整平及利用的影响;

    3 场地对建筑抗震的影响;

    4 地基岩土性质、地基基础形式及地基处理难易程度。

4.2 初步设计阶段勘测

4.2.1 初步设计阶段岩土工程勘测应为确定总平面布置、主要建筑物地基基础方案设计及不良地质作用整治等,提供岩土工程勘测资料和建议。

4.2.2 初步设计阶段岩土工程勘测应搜集和取得下列资料:

    1 比例尺为1:500~1:5000的地形图,及标有初步拟定建(构)筑物地坪标高的站址总平面布置图;

    2 建(构)筑物初步拟定的基础形式、尺寸、埋深、基底压力或荷载;

    3 工程前期勘测资料,以及站址附近的岩土工程资料和当地建筑经验。

4.2.3 初步设计阶段岩土工程勘测应进行下列主要工作:

    1 查明站址区地层分布及岩土物理力学性质,提出地基基础方案设计所需计算参数;

    2 查明不良地质作用的类型、成因、分布范围和规模,预测发展趋势及危害程度,提出整治措施建议;

    3 进一步查明地下水的埋藏条件及变化规律,分析地下水对施工可能产生的不利影响,提出防治建议;

4 评价地下水和地基土对混凝土结构、混凝土结构中的钢筋和钢结构的腐蚀性；

5 划分站址建筑场地类别；

6 判别场地和地基的地震效应；

7 查明对建(构)筑物可能有影响的自然边坡或人工边坡地段的岩土工程条件，评价其稳定性。

4.2.4 勘探点、线的布置应符合下列要求：

1 勘探点、线的布置应控制站址范围，并兼顾总平面布置；

2 应按场地复杂程度布置勘探点，简单场地宜按格网布置，中等复杂场地及复杂场地宜按地质单元布置；

3 控制性勘探点数量不应少于勘探点总数的 1/3。条件适宜时，应有一定数量的探井或探槽。

4.2.5 勘探线间距和勘探点间距宜符合表 4.2.5 的规定。

表 4.2.5 初步设计阶段勘探线间距和勘探点间距(m)

场地复杂等级	勘探线间距	勘探点间距
简单场地	80～200	70～120
中等复杂场地	75～150	50～100
复杂场地	50～100	≤60

4.2.6 勘探点深度宜按表 4.2.6 的规定确定。

表 4.2.6 初步设计阶段勘探点深度(m)

电压等级	一般性勘探点	控制性勘探点
330kV 以下	8～10	10～15
330kV～750kV	10～15	15～20
750kV 以上	15～25	20～30

注：表中勘探点深度仅针对地基承载力和变形分析，不适用于特殊土及不良地质作用的勘探要求。

4.2.7 当遇下列情况时，勘探孔深度应符合下列要求：

1 在预定勘探深度内遇到基岩时，一般性勘探孔在达到确认的基岩后即可终孔，控制性勘探孔入岩深度不宜小于 3m；

2 在预定勘探深度内遇到软弱地层时，勘探孔深度应适当加深或穿透软弱地层；

3 当拟定基础埋深以下有厚度大于 3m,分布均匀的坚实土层,且其下无软弱下卧层时,除控制性勘探孔深度应达到规定深度外,一般性勘探孔深度达到该层顶面即可。

4.2.8 山区站址勘测应符合下列要求：

1 对于基岩露头较多、地貌及地质构造复杂的场地宜进行工程地质测绘；

2 在地貌变化大、基岩起伏较大或第四系覆盖层岩性复杂地段宜适当加密勘探点；

3 根据场地整平标高,可适当增加或减小勘探深度。

4.2.9 取土试样和原位测试工作应符合下列要求：

1 取土试样和进行原位测试的勘探孔应在平面上均匀布置,其数量应为勘探孔总数的 1/3～1/2,对于复杂场地应取高值；

2 取土试样和原位测试的数量及竖向间距应根据地层结构和地基均匀性确定,每层土应采取土样或进行原位测试,每一主要土层的试样或原位测试数量不应少于 6 个。

4.2.10 应查明地下水的类型,实测地下水位深度,调查水位变化幅度、地下水补给与排泄条件。当地下水有可能浸没或浸湿基础时,应采取有代表性的水试样,评价地下水的腐蚀性。

4.2.11 土层剪切波速测试应符合下列要求：

1 站址位于同一地质单元时,剪切波速测试钻孔不宜少于 3 个；

2 当站址位于不同地质单元时,剪切波速测试钻孔位置和数量应按地质单元确定；

3 对于电压等级为 220kV 及以下的非枢纽变电站,剪切波速可根据土的类型和性状,按现行国家标准《建筑抗震设计规范》GB 50011 的规定确定。

4.2.12 变电站建筑场地类别应按现行国家标准《建筑抗震设计规范》GB 50011 的规定确定。

4.2.13 初步设计阶段岩土工程勘测应通过岩土工程分析,确定建(构)筑物地基方案。当天然地基不能满足要求时,应提出地基处理或桩基方案的建议,并宜根据需要进行地基处理或桩基原体试验,试验要求应符合本标准第10章的规定。

4.3 施工图设计阶段勘测

4.3.1 施工图设计阶段岩土工程勘测应对各建(构)筑物地基做出岩土工程评价,提供设计和施工所需岩土参数,对地基基础形式、地基处理、基坑支护、工程降水、不良地质作用整治等提出建议,并对工程建设可能引起的环境地质问题作出预测。

4.3.2 施工图设计阶段岩土工程勘测前应取得下列资料:

　　1 建筑物总平面布置图;

　　2 各建(构)筑物的室内外地坪标高,上部结构类型、基础形式与埋置深度、基底荷载和地基变形允许值等;

　　3 地基处理方案及要求;

　　4 可行性研究阶段及初步设计阶段的勘测资料。

4.3.3 施工图设计阶段岩土工程勘测应进行下列主要工作:

　　1 查明各建(构)筑物的地基岩土类别、层次、厚度、分布规律及工程性质,分析评价地基的稳定性和均匀性;

　　2 提供岩土的物理性质和抗剪强度、压缩模量、地基承载力等指标以及人工地基、桩基础等地基基础设计所需计算参数;

　　3 查明地下水埋藏条件,提供地下水位及变化幅度;

　　4 查明不良地质作用的类型、成因、分布范围、发展趋势和危害程度,提出整治方案的建议;

　　5 分析和预测由于施工可能引起的环境地质问题,提出防治措施及建议。

4.3.4 勘探点布置应根据建(构)筑物特点和场地复杂程度确定,并应符合下列要求:

　　1 主控楼、配电装置楼的勘探点可沿基础柱列线、轴线或轮

廊线布置,勘探点间距宜为 30m～50m,且每个单体建筑的勘探点数量不应少于 2 个;

2 每台变压器区域的勘探点数量不应少于 1 个;

3 构架、支架场地可结合基础位置按格网布置,勘探点间距宜为 30m～50m;

4 其他建(构)筑物地段可根据场地条件及建(构)筑物布置,按建筑群布置勘探点;

5 控制性勘探点的数量应按场地复杂程度确定,且不宜少于勘探点总数的 1/3,主要建筑物或对地基变形敏感的建(构)筑物应布置有控制性勘探点;

6 对于简单场地或复杂场地应根据地形、地貌和地层变化情况增减勘探点。

4.3.5 自基础底面算起的勘探深度应符合下列要求:

1 一般性勘探孔深度应能控制地基主要受力层,当基础宽度不大于 5m 时,勘探孔深度对于条形基础不应小于基础底宽度的 3 倍,对于单独基础不应小于基础底宽度的 1.5 倍,且不应小于 5m;

2 控制性勘探孔深度应大于地基变形计算深度,位于构架、支架区的控制性勘探孔深度可为 5m～12m,其地段的控制性勘探孔深度可为 8m～20m;

3 遇特殊情况时,勘探点的深度可按本标准第 4.2.7 条的规定作适当调整。

4.3.6 采取原状土试样和进行原位测试的勘探孔应为勘探孔总数的 1/3～1/2。同一地质体单元内每一主要土层,取原状土试样或原位测试数据不应少于 6 件(组)。

4.3.7 桩基和特殊性岩土的勘测除应符合本标准第 7.7 节和第 7.9 节的规定外,尚应符合现行有关标准的规定。

4.3.8 室内土工试验应符合本标准第 9.4 节的规定。

5 地下变电站勘测

5.0.1 地下变电站各阶段勘测除应满足本标准第 4 章的规定外，尚应符合下列要求：

1 初步设计阶段勘测应提出基坑支护方案的建议，施工图设计阶段勘测应主要针对基坑支护进行勘测工作；

2 应查明基坑开挖范围和邻近场地地下水类型、水位及变幅，分析评价施工过程中水位变化对支护结构的影响，流土和管涌发生的可能性，以及地下水对结构物的上浮作用，并应提供地下水控制及抗浮措施；

3 应查明邻近建（构）筑物和地下设施的现状，评价开挖、施工降水对其的影响，并应提出保护措施建议。

5.0.2 初步设计与施工图设计阶段的勘测范围应根据场地岩土工程条件、基坑开挖深度及可能的支护方式确定。施工图设计阶段的勘测范围尚应满足不同支护类型结构设计的需要，宜在开挖边界向外扩展开挖深度的 1 倍～2 倍范围内布置勘探点，当开挖边界外无法布置勘探点时，应通过搜资调查取得相应的资料。对于软土，勘测范围尚应适当扩大。

5.0.3 不同勘测阶段勘探点间距宜符合表 5.0.3 的规定。当地层变化较大时，应增加勘探点。

表 5.0.3 地下变电站不同勘测阶段的勘探点间距（m）

勘测阶段	勘探点间距
可行性研究阶段	50～100
初步设计阶段	30～50
施工图设计阶段	15～30

5.0.4 勘探点深度应满足地基强度和变形计算,支护结构、土体及整体稳定性验算和地下水控制设计的要求。

5.0.5 室内试验除应满足土工试验的一般规定外,尚应满足下列要求:

    1 固结试验应进行加荷、卸荷回弹试验,测定回弹指数,试验压力的施加应考虑实际加荷和卸荷状态;

    2 抗剪强度试验宜采用三轴剪切试验,并应根据土的类别和支护结构类型选择试验方法;

    3 必要时应进行静止土压力系数试验、K_0 条件下固结不排水抗剪强度试验、K_0 条件下固结不排水剪测孔隙水压力试验、特定应力比固结不排水剪试验、平面应变压缩试验和平面应变拉伸试验。

5.0.6 水文地质参数宜通过现场试验和室内试验综合确定,有经验的地区可使用经验数据。

5.0.7 邻近建(构)筑物状况调查应包括下列内容:

    1 建(构)筑物分布状况;

    2 建(构)筑物的性质、结构类型、层数、基础形式和埋深等;

    3 基坑开挖前已有裂缝、倾斜等的情况。

5.0.8 邻近地区管线、地下设施和水体调查应包括下列内容:

    1 管线的类别、与基坑的相对位置、埋深和性状等;

    2 地下设施的结构尺寸、与基坑的相对位置、基础形式和结构特点等;

    3 周围道路与基坑的距离、道路性质、车流、车载等;

    4 地表水体及暗沟、暗塘的位置、深度及水深等。

5.0.9 地下变电站岩土工程勘测报告的编制除应符合本标准第13章的规定外,尚应包括下列内容:

    1 提供基坑工程设计所需的参数指标,并提出基坑支护设计方案建议;

    2 评价地下水对工程的影响,提出地下水的控制方法、计算参数、抗浮水位以及施工控制的建议；

    3 评价场地周围环境条件与基坑开挖、支护、降排水之间的相互影响，提出设计、施工应注意的事项和必要的保护措施建议；

    4 对施工中可能遇到的问题提出防治措施的建议；

    5 对基坑监测项目提出建议。

6 换流站勘测

6.1 可行性研究阶段勘测

6.1.1 可行性研究阶段勘测应对拟选换流站本体、接地极场地的稳定性和适宜性作出评价，对拟选站址、极址方案进行比选，推荐工程地质条件相对较好的方案。

6.1.2 可行性研究阶段前的规划选站勘测应进行下列主要工作：

 1 了解站址、极址区的区域地质、区域构造和地震活动情况，初步确定各站址、极址区的地震烈度，对站址、极址稳定性作出初步评价；

 2 调查了解站址、极址区及其附近地段的地形地貌特征、不良地质作用及危害程度，并提出可能防治或避开的建议；

 3 概略了解站址、极址区的地层岩性、岩土结构、成因类型、分布特征及各接地极极址区岩土层的电性特征，对换流站拟采用的地基类型提出初步建议，结合地形、地貌特征对极址区的适宜性作出初步评价；

 4 调查了解站址、极址区地下水埋藏条件及对场地的影响；

 5 了解各站址、极址区及其附近矿产分布、规划和开采情况；

 6 初步分析站址、极址区环境地质问题。

6.1.3 规划选站勘测工作以搜集资料和现场踏勘为主，必要时可进行工程地质调查，缺少资料时可布置适量的勘探工作。

6.1.4 规划选站勘测站址、极址比选应主要包括以下内容：

 1 站址稳定性，不良地质作用发育情况及其避开可能性与整治难易程度；

 2 地震烈度及场地对建筑抗震的影响；

 3 地形地貌对场地利用、整平及对接地极的影响；

4 地基岩土性质及拟采用的地基类型,地基处理难易程度,岩土结构、岩土特性对接地极的适宜性。

6.1.5 可行性研究阶段换流站本体的勘探线数量、勘探点间距及勘探深度宜根据电压等级和场地复杂程度按表6.1.5的规定确定。

表 6.1.5 **可行性研究阶段勘探线数量、勘探点间距及勘探深度**

电 压 等 级	勘探线数量及勘探点间距			勘探深度
	简单场地	中等复杂场地	复杂场地	（m）
±400kV、±500kV、±660kV	勘探线数量不宜少于2条	勘探线间距为150m～200m	勘探线间距为100m～150m	20～25
±800kV				25～30

注:分布特殊性岩土、不良地质作用以及上述规定深度内遇基岩的站址,勘探线数量、勘探点间距和勘探深度可适当调整。

6.1.6 可行性研究阶段接地极勘测应对各极址的场地稳定性和地基岩土条件作出进一步评价,预测工程可能引起的环境地质问题,为接地极总平面布置提供资料,推荐工程地质条件较优的极址。

6.1.7 可行性研究阶段接地极勘测应以搜集资料、现场踏勘、工程地质调查和物探工作为主,并可进行适量勘探工作。主要工作应包括以下内容:

1 初步查明覆盖层厚度、极环底面以下3m～5m范围内的岩土性质;

2 初步查明地下水位、变幅及水土腐蚀性;

3 初步查明岩土导电特性。

6.1.8 下列场地不宜建接地极:

1 地形起伏过大;

2 极圈埋置范围内分布有碎石土;

3 极圈埋置范围内分布有硬质基岩。

6.2 初步设计阶段勘测

6.2.1 初步设计阶段换流站本体勘测应对地基稳定性和均匀性

作出评价,为确定总平面布置、主要建筑物地基基础方案设计及不良地质作用整治等提供岩土工程勘测资料,推荐适宜的地基基础方案。

6.2.2 换流站本体岩土工程勘测的主要工作应符合本标准第4.2.3条的规定。

6.2.3 换流站本体勘探点、线的布置原则应符合本标准第4.2.4条和第4.2.5条的规定,勘探点的深度宜按表6.2.3的规定确定。

表6.2.3 换流站本体初步设计阶段勘探点深度(m)

电 压 等 级	一般性勘探点	控制性勘探点
±400kV、±500kV、±660kV	10~15	15~20
±800kV	15~25	20~30

注:分布特殊性岩土、不良地质作用以及上述规定深度内遇基岩的站址,勘探线数量、勘探点间距和勘探深度可适当调整。

6.2.4 接地极勘测应查明极址的岩土工程条件,为确定接地极平面布置、塔基基础方案设计、不良地质作用整治等提供岩土工程勘测资料,推荐塔基地基处理或桩基方案,并对不良地质作用整治进行方案论证。

6.2.5 接地极勘测勘探点的布置应考虑总平面布置变动的可能,并应符合下列规定:

   1 勘探点的数量不应少于9个;

   2 当基岩埋藏较浅时勘探点深度应至基岩,当基岩埋藏较深时勘探点深度不应小于10m。

6.3 施工图设计阶段勘测

6.3.1 施工图设计阶段换流站本体勘测应根据不同建筑物的特点和重要性,评价各建筑地段的工程地质条件和岩土特性,提供地基基础设计、不良地质作用整治和施工所需的岩土工程资料。

6.3.2 换流站本体岩土工程勘测的主要工作应符合本标准第

4.3.3条的规定。

6.3.3 换流站本体勘探点布置应根据建(构)筑物特点和场地复杂程度确定,并应符合下列要求:

　　1 主控楼、阀厅勘探点可沿基础柱列线、轴线或轮廓线布置,每个单体建筑的勘探点数量不应少于5个;

　　2 换流变压器区每台变压器均应布置勘探点;

　　3 滤波器区勘探点间距宜为15m～30m;

　　4 构架、支架场地可结合基础位置按格网布置,勘探点间距宜为30m～50m;

　　5 其他建(构)筑物地段可根据场地条件及建(构)筑物布置,按建筑群布置勘探点;

　　6 控制性勘探点的数量应按场地复杂程度确定,且不宜少于勘探点总数的1/3,主控楼、阀厅、换流变压器、滤波器等主要建筑物或对地基变形敏感的建(构)筑物地段应布置控制性勘探点;

　　7 对于复杂场地,应根据地形、地貌和地层变化情况增加勘探点,对于简单场地,可适当减少勘探点。

6.3.4 换流站本体勘探点深度应符合本标准第4.3.5条的规定。

6.3.5 接地极勘测应对各建筑地段的地基作出岩土工程评价,查明地下水及土的腐蚀性,为地基基础设计和不良地质作用整治提供岩土工程资料。

6.3.6 接地极勘测勘探点布置应符合下列规定:

　　1 极圈地段应沿极圈布置勘探点,勘探点间距宜为50m～80m;

　　2 中心塔、分支塔每塔布置的勘探点不应少于1个,且每塔均应取土试样或进行原位测试。

6.3.7 接地极勘测勘探点深度应符合下列规定:

　　1 极圈地段勘探点深度进入极圈底面以下不应小于2m;

　　2 中心塔、分支塔地段勘探点深度应大于塔基底面宽度的

1.5倍与基础埋深之和,且不应小于8m。当在预定深度内遇基岩时,勘探点应钻入基岩并能判明岩性及风化程度。当有软弱下卧层时,勘探点深度应适当加深。

7 专门岩土工程和特殊性岩土勘测

7.1 活 动 断 裂

7.1.1 当站址附近存在影响站址稳定性的断裂构造时,应进行断裂勘测。

7.1.2 断裂勘测应在搜集区域地质和地震资料的基础上,对站址进行实地勘测,分析站址及附近地震和地质基本特征,查明断裂的位置、类型和活动性,评价断裂对站址稳定性的影响。

7.1.3 断裂的地震工程分类和全新活动断裂分级应符合现行国家标准《岩土工程勘察规范》GB 50021 中的规定。

7.1.4 当全新活动断裂的规模较大时,应对断裂进行分段评价。

7.1.5 断裂勘测方法的选择应符合下列规定:

    1 高分辨率遥感适用于已知或未知活动断层的普查和控制性定位工作;

    2 气体地球化学探测适用于未受严重化学污染场地的隐伏活动断层探测工作;

    3 地质地貌填图适用于确定裸露地表的活动断层或埋藏较浅的隐伏活动断层位置,获取其活动性参数工作;

    4 槽探适用于探查裸露地表的活动断层,或埋藏很浅的隐伏活动断层;

    5 钻探适用于探测第四纪沉积物覆盖区隐伏活动断层的位置、活动性鉴定等工作;

    6 浅层地震勘探适用于具有一定波阻抗差异的层状和似层状介质条件下的隐伏活动断层探测工作。

7.1.6 对影响站址稳定的全新活动断裂应采取避让的处理措施。站址与全新活动断裂间的避让距离应根据断裂的等级、规模、产状、活动性、覆盖层厚度、场地地震动参数或地震烈度等因素综合分析确定。站址与全新活动断裂的避让距离可按表 7.1.6 的规定确定。

表 7.1.6　站址与全新活动断裂的避让距离及处理措施

断裂分级		避让距离及处理措施
Ⅰ	强烈全新活动断裂	当地震烈度为Ⅸ度时,宜避开断裂 1200m;当地震烈度为Ⅷ度时,宜避开断裂 800m,并宜选择断裂下盘建设
Ⅱ	中等全新活动断裂	宜避开断裂进行建设,宜避开断裂 400m
Ⅲ	微弱全新活动断裂	建筑物不应跨越主干断裂

7.1.7　对于非全新活动断裂可不采取避让措施。当断裂埋藏较浅,破碎带发育时,可按不均匀地基处理。

7.2　地　震　效　应

7.2.1　站址建筑场地选择时,应根据工程需要、地震活动情况、工程地质和地震地质等资料,对建筑抗震有利、一般、不利和危险的地段作出评价。

7.2.2　站址建筑场地类别应根据本标准第 4.2.12 条的规定确定。

7.2.3　当工程场地 50 年超越概率 10% 的地震动峰值加速度不小于 0.10g,相应的地震烈度为Ⅶ度及以上时,应对场地内的饱和砂土和粉土进行液化判别,评价液化等级及危害,提出抗液化处理措施。当场地 50 年超越概率 10% 的地震动峰值加速度为 0.05g,相应的地震烈度为Ⅵ度时,对于沉陷敏感的乙类建(构)筑物和重要的生产建(构)筑物,应按照地震基本烈度Ⅶ度进行液化判别。

7.2.4　地基存在饱和砂土、饱和粉土时应采用标准贯入试验法进行液化判别。地震液化判别应符合现行国家标准《建筑抗震设计规范》GB 50011 的规定。当有成熟经验时,也可结合其他方法综合判别。

7.2.5 可能发生地震液化的场地,岩土工程勘测的内容应符合下列规定:

1 了解场地地貌成因、类型,分析倾斜场地和液化层发生大面积土体滑移的可能性;

2 查明可液化土层的沉积时代与环境、埋藏条件、颗粒成分、密实度及渗透性等特征;

3 调查历史地震条件和地震液化情况等,评价地震液化重复发生的可能性;

4 查明场地地下水位及其变化幅度。

7.2.6 场地工程地质条件复杂时,地震液化的判别宜按照建筑地段岩土条件的差异分区进行。

7.2.7 用于地震液化判别的勘探点的数量应根据勘测阶段、工程建设规模和场地岩土条件综合分析确定,且不应少于 3 个,勘探深度应大于液化判别深度。采用标准贯入试验方法进行地震液化判别时,试验点的竖向间距宜为 1.0 m～1.5 m,每层土的试验点数量不应少于 6 个。

7.2.8 对于存在地震液化的场地应根据地基的液化等级和建筑物重要性等因素,提出采用桩基、复合地基或换填等全部或部分消除液化工程措施的建议。

7.2.9 当场地内有厚层软土时,对工程场地 50 年超越概率 10% 的地震动峰值加速度不小于 0.10g,相应的地震烈度为 Ⅶ 度及以上,应判别厚层软土震陷的可能性。

7.3 岩 溶

7.3.1 变电站场地或其附近有可溶岩发育时,应按岩溶场地进行勘测。

7.3.2 岩溶勘测应查明对站址和地基有影响的地下岩溶及地表塌陷的形态、分布、规模以及发育规律,查明地下水的埋藏及开采情况,对岩溶发育程度进行分类,评价建站的适宜性、场地和地基的稳定性,推荐地基基础形式,提出处理措施的建议。

7.3.3 场地的岩溶发育程度可根据岩溶点密度、线溶率等指标及场地岩溶现象,进行综合判定。

7.3.4 变电站选址时,宜避开下列对场地稳定不利的地段:

1 有浅埋的暗河、大型溶洞群、厅堂式或大型廊道式溶洞发育的地段;

2 有隐伏的槽谷与漏斗、规模较大的岩溶洼地及基岩面剧烈起伏的地段;

3 土洞或塌陷已发育成片的地段;

4 场地附近大量抽取地下水,或地表水水位升降剧烈,有可能引起场地上覆土层塌陷的地段;

5 岩溶地下通道排泄不畅、堵塞或涌水,有可能导致暂时性淹没的地段。

7.3.5 可行性研究阶段勘测应分析岩溶和地面塌陷形成的条件、发育规律及发展趋势,评价拟建场地岩溶发育程度、地基类型及处理的难易程度,对场地稳定性和适宜性作出评价,并应符合下列规定:

1 勘测范围应在满足总平面布置的前提下,向四周各扩展50m～100m;

2 应采用工程地质测绘、工程物探和勘探相结合的勘测方法,工程物探测网间距宜为 30m～80m,探测深度宜为 30m～50m;

3 勘探点、线宜按方格网布置,间距宜为 50m～150m,对岩溶强烈发育和物探明显异常地段应加密勘探点,勘探点间距可加密至 20m～50m,勘探孔深度不应小于 20m,且应穿过浅部岩溶发育带或异常带,当有较厚的覆盖土或岩溶洞隙中充填有黏性土时,应采取土样或进行原位测试;

4 必要时宜绘制站址场地岩溶发育程度分区图。

7.3.6 初步设计阶段勘测应进一步查明场地岩溶洞隙及伴生的

土洞、落水洞、地表塌陷的分布、发育程度和发育规律,以及基岩面的起伏情况,推荐地基基础方案,并应符合下列规定:

    1 勘探点应布置在地表变形塌陷和土洞可能发育区,地形低注地段或微地貌变化处、地表水消失很快的地段、地质构造线、断层交汇处及褶皱的轴部、可溶岩与非可溶岩接触带、基岩面起伏较大的地段;

    2 勘探点间距应根据场地岩溶发育程度,结合建(构)筑物轮廓线,按方格网布置,勘探点间距宜为 20m～50m,当存在岩溶洞穴时,应加密勘探点,勘探孔深度宜大于 20m 或穿过浅部岩溶洞隙达底部稳定岩层 3m～5m;

    3 工程物探测网间距宜为 10m～50m,探查深度宜为 20m～30m,对异常地段应予加密,并布置钻孔验证;

    4 对于浅埋隐伏型岩溶,可布置小口径麻花钻或探井、探槽。

7.3.7 施工图设计阶段勘测应查明对建筑地基有影响的岩溶洞隙和土洞的位置、形态、规模、埋深,围岩顶板的厚度和破碎情况,洞壁岩体的结构与强度,洞隙内堆积物的性状,地下水埋藏情况及其动力特性等,对地基的稳定性作出评价,提出地基基础设计和地基处理所需岩土参数,并应符合下列要求:

    1 主控楼及配电室等建(构)筑物应按柱列线、基础轴线或基础周线布置勘探点。其他构筑物应按基础位置布置勘探点;

    2 对采用独立基础的建(构)筑物,当岩溶微弱发育时,应间隔 1 基～2 基勘探;当岩溶呈中等及以上发育时,应逐基或逐柱勘探。对采用其他基础形式的建(构)筑物,当岩溶微弱发育时,勘探点间距不应大于 20m;当岩溶呈中等及以上发育时,勘探点的间距不应大于 15m;

    3 当基础底面或其附近发现有岩溶洞隙和物探异常存在时,应加密勘探孔;

    4 当采用工程物探进行勘测时,勘测范围应大于建(构)筑物

轮廓线;

5 当基础底面下土层厚度超过3倍单独基础或6倍条形基础宽度,且不具备形成土洞的条件时,勘探孔的深度应超过地基变形计算深度;当不具备上述条件时,应钻穿土层,进入基岩一定深度;当在预定勘探深度内遇有岩溶时,应钻穿岩溶带至中风化岩层不少于2m。

7.3.8 对中等及以上发育程度的岩溶场地应进行施工勘测,并应符合下列规定:

1 大直径嵌岩桩及一柱一桩的基础应逐桩布置勘探点,勘探孔深度应符合本标准第7.3.7条的有关规定;

2 主控制楼等主要建(构)筑物,当基底或桩端以下岩溶洞隙强烈发育或基岩面起伏较大时,应沿基础周线或桩周加密布置勘探点,每个基础或基桩布置的勘探点不应少于1个,并适当加深勘探深度;当采用梁板跨越或洞底支撑处理时,应在梁板端部或支撑基础位置各布置1个~2个勘探点;

3 基坑底出现岩溶洞隙时,应查清洞隙的延伸范围、发育及充填情况。

7.3.9 岩溶稳定性应根据溶洞与溶隙所处的位置、大小、埋深、顶板厚度、围岩的结构及强度、洞内堆积物及岩溶水活动等因素,进行分析与评价。有建筑经验的地区可采用类比法。当岩溶对地基稳定有不利影响时,应采取相应的处理措施。

7.4 边　　坡

7.4.1 本节适用于对变电站建设有影响或可能有影响的自然斜坡和人工开挖形成的岩土体边坡,不含深基坑边坡。

7.4.2 边坡勘测应执行现行国家标准《建筑边坡工程技术规范》GB 50330 的有关规定,划分建筑边坡类型和破坏形式,确定边坡工程安全等级。

7.4.3 对一级建筑边坡和高边坡应进行专项勘测,对其他边坡可与站内建（构）筑物勘测一并进行，但应满足边坡勘测的深度要求。大型和地质环境条件复杂的边坡应分阶段进行勘测，一级边坡工程尚应进行施工勘测。当边坡成为站址比选的主要条件时，应在可行性研究阶段进行专项勘测。

7.4.4 边坡勘测应查明下列内容：

1 地形地貌特征；

2 岩土类型、分布、成因以及物理力学性质；

3 覆盖层厚度、基岩面的形态特征、岩石风化情况与完整程度，主要结构面的类型与分布特征；

4 水文、气象及水文地质条件；

5 不良地质作用的范围、特性、发展趋势及对边坡稳定的影响；

6 评价边坡的稳定性，预测工程建设对边坡稳定性的影响；

7 提出人工边坡合理的坡形和坡角；

8 对不稳定边坡地段的处理方案进行论证。

7.4.5 大型和复杂边坡各阶段的勘测应符合下列要求：

1 可行性研究阶段勘测应分析边坡破坏模式，初步判定边坡的稳定性，预测人工边坡的稳定性和边坡治理难易程度，提出可能整治的初步方案和建筑物平面布置的调整建议；

2 初步设计阶段勘测应对边坡的不稳定部位或需整治位置及其相邻地段，进行勘探与测试工作，提出边坡设计计算所需的有关岩土参数，划分建筑边坡的类型，复核边坡可能的破坏模式，通过分析和验算，对边坡的整体和局部地段的稳定性做出评价，对人工边坡提出开挖边坡坡率的建议值，对可能失稳的边坡提出整治方案建议；

3 施工图设计阶段勘测应针对不稳定和需整治的边坡部位，以及因设计总平面布置变更或整治方案修改的地段进行，查明前阶段勘测尚未查明或需进一步查明的工程地质问题，提出边坡设计计算所需的地质资料和岩土参数，并提出整治措施建议；

4 施工勘测应对边坡施工开挖进行地质编录,必要时进行地质预报。当边坡施工反映的情况与地质资料不符时,应补充适量的勘探与测试工作,并提出整治建议。

7.4.6 边坡工程的勘测范围、勘探点布置、数量及深度应根据边坡安全等级、边坡破坏模式、岩土复杂程度、勘测阶段以及地区经验确定,并应符合下列要求:

1 勘测范围为不稳定和需整治的边坡部位,且不应小于岩质边坡高度或土质边坡高度的 1.5 倍,以及可能对建(构)筑物有潜在安全影响的区域;

2 勘探线应垂直边坡走向或平行于可能滑动的方向布置,在主要控制性验算剖面地段应有勘探线,每条勘探线不宜少于 3 个勘探点。在可行性研究阶段,勘探线间距不宜大于 40m,勘探点间距不宜大于 50m;在初步设计阶段,勘探线间距不宜大于 30m,勘探点间距不宜大于 40m;在施工图设计阶段,勘探线间距不宜大于 20m,勘探点间距不宜大于 30m;

3 当有软弱夹层及不利的结构面时,应适当加密勘探点;

4 勘探点深度应穿过最下层潜在滑动面,并满足边坡稳定性验算所需的深度要求。

7.4.7 边坡的工程地质测绘与调查除应符合本标准第9.1节的规定外,尚应重点查明边坡的形态和坡角,软弱结构面的产状和性质。测绘范围应包括可能对边坡稳定性有影响的地段。

7.4.8 边坡主要岩土层和软弱层应采取试样。每层的试样对土样不应少于 6 件,对岩层不应少于 9 件,软弱层应连续取样。

7.4.9 边坡稳定性计算所需抗剪强度指标应根据工程实际工况与岩土体条件,通过现场试验或室内试验,结合工程经验等方法综合确定,并宜采用反分析方法验证。

7.4.10 边坡的稳定性评价应在确定边坡破坏模式的基础上,采用工程地质类比法、图解分析法、极限平衡计算法和数值分析法等进行综合分析。当边坡各区段条件不一致时,应分区段进行评价。

边坡的安全系数应综合考虑边坡的级别、计算工况和计算方法等因素确定。

7.4.11 边坡开挖坡度值可先根据当地经验或按本标准附录 A 的规定确定初值,再经稳定性分析后确定。

7.5 采 空 区

7.5.1 变电站选址时宜避开采空区。当无法避开时,宜选择已充分采动且无重复开采可能的沉陷稳定区、矿区无矿带或留设矿柱的地段。

7.5.2 当站址可能受到采动影响时,应进行专门勘测和采动影响评价,评价场地适宜性,预测地表移动和变形特征。

7.5.3 采动影响区的勘测应符合下列要求:

 1 查明场地内矿层的分布、层数、厚度、产状、埋藏深度;

 2 查明上覆岩层的时代、厚度、性质以及产状、断裂等地质构造特征;

 3 查明矿层开采的深度、厚度、开采方法及时间、顶板管理方法、开采边界、工作面推进方向和速度、远景开采规划、采空区的塌落、密实程度及积水等;

 4 查明地表变形特征和分布;

 5 根据开采情况、上覆岩层性质和建(构)筑物基底压力,预测地表移动和变形特征,评价场地适宜性和稳定性,并根据矿区经验提出处理措施的建议。

7.5.4 采空区的勘测手段应以搜资和地质调查为主。当调查不能查明采空区特征时,应进行钻探或物探。

7.5.5 对位于采空区及可能受到采动影响的站址应根据工程需要进行建(构)筑物长期变形监测。

7.6 填 方 工 程

7.6.1 填方工程勘测应查明填方场地地质条件,分析、评价填方工程中的岩土工程问题,提出填方工程设计与施工的建议。

7.6.2 填方工程勘测应包括下列内容:

1 查明场地地质构造、岩土分布及其工程性质、地下水埋藏条件和不良地质作用;

2 调查场地回填物质来源和成分,分析、预测影响回填土压实的因素和效果,提出场地填筑方案的建议;

3 提出人工填方边坡的坡率建议值,当场地的天然坡度大于20%时,应分析其整体稳定性,需要时,尚应提出边坡支护措施的建议;

4 分析、预测填方后由于环境地质条件变化引起的地下水渗流场变化和可能产生的自重变形、遇水湿陷、强度软化等岩土工程问题。

7.6.3 填方工程勘测范围应包括取料场地和堆填场地。勘探点深度应根据取料深度、填方厚度和下伏岩土性质确定。

7.6.4 填方工程应进行室内击实试验或现场原体试验,确定填筑质量控制标准及施工工艺。

7.6.5 对填方边坡可采用重力式挡土墙、加筋土工格栅或抗滑桩等措施加固。当填方区下伏有软弱夹层时,应考虑由于填方重力作用使原边坡失稳的可能性。

7.7 桩基工程

7.7.1 桩基岩土工程勘测应包括下列内容:

1 查明各层岩土的类型、分布、工程性质及变化规律;

2 查明场地水文地质条件,评价地下水对桩基设计和施工的影响;

3 提供桩基设计所需的岩土参数,推荐合理的桩基型式及桩端持力层,估算单桩承载力;

4 桩端持力层为基岩时,应查明基岩的岩性、构造、岩面变化、风化程度,确定岩石的坚硬程度、岩体的完整程度和基本质量

等级,判定有无岩溶、洞穴、破碎岩体或软弱岩层;

5 对液化土层、特殊性岩土、大面积新近松散填土、深厚软土等应分析其对桩基的影响,并对可能产生的危害提出防治措施的建议;

6 评价沉桩和成桩可行性,分析桩基施工对环境的影响并提出建议。

7.7.2 桩基岩土工程勘测宜采用钻探和触探以及其他原位测试相结合的方式进行。对黏性土、粉土和砂土宜采用静力触探和标准贯入试验,对碎石土、砾砂层宜采用重型或超重型圆锥动力触探,对岩质地基宜采用全断面回转钻探。

7.7.3 桩基工程各阶段勘测应符合下列要求:

1 可行性研究阶段应初步查明站址地层的分布情况及其性质,提出可供选择的桩端持力层,进行桩基方案论证,推荐合理的桩基型式;

2 初步设计阶段应进一步查明站址的岩土工程条件,必要时对推荐的桩型进行原体试验,为桩型的最终确定、桩基设计与施工提供依据;

3 施工图设计阶段应以建筑物平面布置为依据,详细查明建(构)筑物地段的岩土工程条件,为桩基设计和施工工艺等提供必要的技术参数。

7.7.4 桩基岩土工程勘测的勘探点深度应符合下列规定:

1 可行性研究阶段的勘探点深度应按场地复杂程度确定,最大勘探深度应满足有可能采用的桩基方案对沉降变形验算的要求;

2 初步设计阶段的一般性勘探点宜进入桩端持力层 3m～5m,控制性勘探点深度可按估算的桩基沉降计算结果确定;

3 施工图设计阶段应根据桩的承载特性及工程地质条件确定。

对于端承桩,当桩端持力层为岩石时,勘探点深度宜进入桩端

以下 $1d\sim3d$（d 为桩径），控制性勘探点可至桩端以下 $3d\sim5d$，其中岩溶地区的勘探点深度应按本标准第 7.3 节的规定执行，在第四系地层中，一般性勘探点深度应达到桩端以下不少于 $4d$，控制性勘探点深度应满足桩基沉降计算的需要。

对于摩擦桩，一般性勘探点应钻至桩端以下 3m～5m，控制性勘探点可取桩端以下 0.5 倍～1.0 倍基础底面宽度或满足桩基沉降计算的深度要求。

7.7.5 施工图设计阶段勘测应沿建（构）筑物轮廓及柱列布置勘探点，勘探点间距宜为 10m～30m。对于持力层为起伏较大的风化基岩上的端承桩，必要时宜逐基钻探；对岩溶发育地区的端承桩应符合本标准第 7.3.8 条的规定。

7.7.6 勘探深度范围内的每一地层均应采取不扰动试样进行室内试验或进行原位测试。

7.7.7 单桩承载力应根据建筑物安全等级，通过计算或原体试验，并结合地区经验综合确定。

7.8　地基处理工程

7.8.1 变电站地基处理的岩土工程勘测应分阶段实施，并应符合下列要求：

1 可行性研究阶段应论证地基处理的必要性，对拟采取的主要地基处理方案进行经济技术分析，并提出推荐意见；

2 初步设计阶段应根据勘测成果和原体试验成果，提供地基处理设计所需的岩土参数，并预测地基处理施工对环境和邻近建（构）筑物的影响；

3 施工图设计阶段应结合已确定的地基处理方案，查明场地地基岩土性质，提供各建（构）筑物地基处理设计所需的岩土性质参数，提出地基处理施工参数和施工控制指标，对地基处理施工对环境和邻近建（构）筑物影响提出防治措施的建议。

7.8.2 换填垫层勘测宜包括下列内容：

1 查明拟换填地层的分布范围、埋藏深度及厚度变化；

2 查明垫层下地层的结构、成因及物理力学性质；

3 查明地下水的类型、埋藏条件、水位变幅及对建筑材料的腐蚀性；

4 选择适宜的换填材料，测定填料的最优含水量和最大干密度；

5 对换填施工过程提出控制指标和注意事项。

7.8.3 压实、夯实地基勘测宜包括下列内容：

1 查明拟加固地层的岩性组成、分布及工程性质，提供地基土的含水量、饱和度、孔隙率、抗剪强度、渗透性、湿陷性等主要物理力学性质指标；

2 结合变电站内建（构）筑物荷载大小、使用要求和地基土性质确定拟加固深度，勘探点深度应大于加固深度；

3 评价拟加固地层和填料的可压实性和夯实效果，提供最大干密度和最优含水量，结合工程要求，提出压实、夯实处理方案的设计和施工参数；

4 调查变电站周边建（构）筑物的使用性质，评价施工振动的影响，并提出隔振或防振的建议；

5 对压实、夯实地基施工和质量控制提出建议。

7.8.4 复合地基的岩土工程勘测宜包括下列内容：

1 查明场地土层和桩端土层的分布、埋深及物理力学性质；

2 评价桩间土的密实度和承载力，桩身及桩端以下变形计算深度内土层的压缩性；

3 提出复合地基设计参数建议，并据此估算单桩承载力和复合地基承载力；

4 分析成桩施工的可能性，预估成桩工艺对周围土体、建（构）筑物和环境的影响以及桩体与水土间的相互作用；

5 对复合地基施工和质量控制提出建议。

7.9 特殊性岩土

7.9.1 软土勘测应符合下列要求：

1 软土勘测与评价应包括以下内容：

1）查明软土成层规律、层理特征、水平和垂直向均匀性、固结历史和灵敏度，以及地表硬壳和地下硬土层的分布、厚度、层面起伏条件；

2）查明塘、浜、沟、坑等的分布、埋深及其填土情况，对受其影响的场地或建（构）筑物进行稳定性验算；

3）综合确定地基承载力，提出地基类型和持力层的建议，必要时进行变形计算。

2 软土勘探方法及工作量布置应按下列要求进行：

1）软土勘探应采用钻探和静力触探相结合的手段，取原状土样应使用薄壁取土器，当验算边坡稳定性时，宜采用现场十字板试验确定抗剪强度指标；

2）勘探点间距和深度应根据地基类型、地基土均匀性等因素综合确定；

3）探查地下掩埋的塘、浜、沟、坑等时，可用小螺旋钻探探明其边界或埋深。

7.9.2 填土勘测应符合下列要求：

1 填土勘测与评价应包括以下内容：

1）调查填土的堆积方式、年限，查明填土成分、分布范围、厚度和物理力学性质；

2）查明填土的均匀性、压缩性、湿陷性及腐蚀性，评价填土作为天然地基的适宜性，需地基处理时，提出适宜的地基处理方案；

3）当填土底面下天然坡降大于 20％，且下方有临空面时，应验算填土及原有斜坡的稳定性。

2 填土勘探方法及工作量布置应按下列要求进行：

1）填土的勘探方法宜根据填土性质和填筑方法确定；

2）勘探点间距和深度应根据勘测阶段和场地复杂程度确定，并宜穿透填土层，当填土下有软土时，应适当加深；

3）填土的密实度和均匀性宜用触探法勘探，并辅以室内试验，杂填土的密度试验宜采用现场灌砂或灌水法确定。

7.9.3 湿陷性土勘测应符合下列要求：

1 湿陷性土勘测与评价应包括以下内容：

1）查明湿陷性土的时代、成因、分布、含有物及胶结物的成分及性质；

2）了解湿陷性黄土的地质时代，判别新近沉积黄土，分析湿陷性黄土的层底深度，确定湿陷类型和湿陷等级，提出适宜的地基处理或桩基方案；

3）评价地下水变化和地表水浸湿对地基承载力和变形特性的影响。

2 湿陷性土勘探方法及工作量布置应符合下列要求：

1）勘探方法应以探坑、探井为主，辅以钻探和原位测试方法；

2）勘探点的间距和深度的确定，以及取样和试验内容应符合现行国家标准《湿陷性黄土地区建筑规范》GB 50025的规定；

3）对湿陷性土分布极不均匀地段应加密勘探点，并借助地面调查方法。

7.9.4 膨胀岩土勘测应符合下列要求：

1 膨胀岩土勘测与评价应包括以下内容：

1）查明膨胀岩土的地貌特征及其岩性、地质时代、成因、产状、分布及节理、裂隙等发育特征；

2）收集当地气象资料，查明大气影响深度；

3）膨胀土的判别，胀缩等级的确定，地基基础设计、施工与维护等应按现行国家标准《膨胀土地区建筑技术规范》

GB 50112 的规定进行；

  4) 对边坡和位于边坡上的建（构）筑物应进行稳定性评价，评价时应考虑坡体含水量变化及裂缝的影响。

 2 膨胀岩土勘测工作量布置应符合下列要求：

  1) 勘探点宜结合地貌单元和微地貌形态布置，其数量比非膨胀岩土地区适当增加。取土样勘探点应分散于整个场地，其数量不应少于总勘探点数的 1/2，勘探点深度除考虑基础埋深和地基受力层深度外，尚应超过大气影响深度；

  2) 在大气影响深度以内，每个取样孔应采取Ⅰ级、Ⅱ级土样，取样间距不应大于 1.0m，大气影响深度以下，取样间距宜为 1.5m～2.0m。

7.9.5 红黏土勘测应符合下列要求：

 1 红黏土勘测与评价应包括以下内容：

  1) 查明红黏土的状态、分布、裂隙发育特征及均匀性，对其分类、结构、复浸水特征等作出判定，并结合当地建筑经验，综合评价地基土的承载特性；

  2) 查明地表水体和地下水的分布、动态及其与红黏土状态垂向分带关系；

  3) 查明建（构）筑物下红黏土厚度的变化，基岩岩性、层面起伏、岩溶、土洞发育情况，评价地基的均匀性，提出地基处理方案和施工措施的建议。

 2 红黏土勘测工作量布置应符合下列要求：

  1) 勘探点布置应取较密间距，初步设计阶段宜取 30m～50m，施工图设计阶段，对均匀地基宜取 12m～24m，对不均匀地基宜取 6m～12m，厚度和状态变化大的地段可适当加密；

  2) 对勘探点深度，当红黏土较厚时，应满足持力层的要求，当红黏土较薄时，应达到基岩面以下一定深度，或根据岩

溶发育程度,达到岩溶不发育的层位;

    3)当场地内岩溶和土洞发育时,宜进行施工勘测。

7.9.6 风化岩和残积土勘测应符合下列要求:

  1 风化岩和残积土的勘测与评价应包括以下内容:

    1)查明母岩地质年代和岩石名称,划分原岩风化程度,对花岗岩类岩石,尚应查明岩脉和球状风化体的分布,对风化岩和残积土工程特性进行评价;

    2)查明风化岩和残积土的均匀性、破碎岩带、软弱夹层或结构面的分布;

    3)当风化岩和残积土作为边坡时,应对其稳定性进行评价,作为场地或地基时,应评价其不均匀变形,并提出处理意见;

    4)查明地下水的赋存条件和变化规律,评价地下水和大气降水对风化岩和残积土的影响,并提出防治建议。

  2 风化岩和残积土勘测工作量布置应符合下列要求:

    1)勘探方法宜以坑探、槽探、钻探为主,辅以工程地质调查和原位测试,必要时可做波速测试和平板载荷试验;

    2)勘探点深度在残积土内宜为 8m～10m,若有软弱夹层时,可适当加深,在风化岩内宜进入基岩强风化带 3m～5m,或至中风化岩石顶面。

7.9.7 多年冻土勘测应符合下列要求:

  1 多年冻土勘测与评价应包括以下内容:

    1)多年冻土的类型、厚度、含冰量、总含水量、构造特征、物理力学和热学性质;

    2)查明多年冻土的分布范围及上限深度,搜集多年冻土下限数据;

    3)查明季节融化层的厚度以及多年冻土的地温;

    4)多年冻土层上水、层间水和层下水的赋存形式、相互关系及其对工程的影响,地表水的相关内容及地下冰的埋深、厚度和分布；

5）厚层地下冰、冰锥、冰丘、冻土沼泽、热融滑塌、热溶湖溏、融冻泥流等不良地质作用的形态、形成条件、分布范围、发生发展规律及其对工程的危害程度；

6）多年冻土地基承载力应区别保持冻结地基和容许融化地基，结合当地经验综合确定，对逐渐融化状态和预先融化状态设计的地基应符合非冻土地基的要求。

2 多年冻土勘探方法及工作量布置应按下列要求进行：

1）对保持冻结状态设计的地基，钻孔深度不应小于基底以下 2 倍基础宽度，对桩基应超过桩端以下 3m～5m，对融化状态地基，应符合非冻土地基的勘测要求；

2）对融化或冻结状态设计，勘探孔的深度宜超过多年冻土上限深度的 1.5 倍；

3）在多年冻土的不稳定带应查明多年冻土下限深度，当地基为饱冰冻土或含土冰层时，应穿透该层；

4）冻土试样的采取、所采用的钻探工艺应根据冻土内颗粒直径的大小、试验要求等综合确定，钻孔终孔直径不宜小于 108mm。

7.9.8 盐渍土勘测应符合下列要求：

1 盐渍土勘测与评价应包括以下内容：

1）查明盐渍土分布特征、含盐化学成分及其对岩土性质的影响，盐渍土分类应按现行国家标准《岩土工程勘察规范》GB 50021 的规定确定；

2）评价盐渍土的溶陷性、盐胀和腐蚀性以及建站场地的适宜性，确定盐渍土地基的承载力。

2 盐渍土勘探方法及工作量布置应按下列要求进行：

1）勘探方法宜以钻探、坑探、槽探为主，辅以工程地质调查和原位测试，必要时可做测定地基承载力的浸水载荷试验以及测定盐胀性的现场试验；

2)勘探点的间距和深度除应符合本标准相关要求外,间距宜适当加密,深度宜穿透盐渍土或至地下水位以下 2m~3m;

3)盐渍土的取样宜在干旱季节进行,对于粗粒土,宜在探井和探坑内取样。

8 地 下 水

8.1 地下水的勘测要求及方法

8.1.1 地下水勘测应通过调查搜资,结合现场勘测工作,查明下列内容:

1 地下水的类型与埋藏条件;

2 主要含水层的性质和分布规律;

3 地下水水位的动态变化规律;

4 地下水与地表水的补排关系及其对地下水位的影响;

5 地下水的化学成分是否存在对地下水和地表水的污染源及其污染程度;

6 地下水对拟建工程的影响。

8.1.2 当地下水位动态变化对工程影响较大,且缺乏地下水动态观测资料时,应布设专门的地下水位观测孔进行水位观测。

8.1.3 当需确定地下水涌水量和含水层渗透性时,可进行抽水试验。

8.1.4 当需要查明岩体透水性、岩体裂隙开度和充填性质、岩体灌浆的可灌性时,可在钻孔中进行压水试验。

8.1.5 地下水水位量测应符合下列规定:

1 多层含水层的水位量测应采取止水措施,将被测含水层与其他含水层隔开后测其稳定水位;

2 初见水位应在遇地下水时量测,稳定水位的量测时间间隔应按地层渗透性确定,对碎石土和砂土不得少于 0.5h,对粉土和黏性土不得少于 8h,并宜在勘探结束后统一量测稳定水位;

3 地下水位量测误差为±2cm。

8.1.6 地下水水样的采取和试验应符合下列要求:

1 采取的地下水水样应有代表性,当存在对基础有影响的多层地下水时,应分层取样;

2 钻孔中取水应在洗孔后采取,取水容器应先用所取水洗三次以上,取样后应立即封存,贴好水样标签;

3 取水数量不应少于500ml,测定侵蚀性CO_2时应另行采取一瓶水样,并加大理石粉作为稳定剂;

4 水样应防冻和阳光照射,并及时试验,水样保存时间不宜超过72h。

8.2 地下水作用的评价

8.2.1 评价地下水对地基基础的影响应符合下列要求:

1 地下水位高于基础底面时,应评价地下水对建(构)筑物的影响;

2 当地下水位在基础影响范围内变动时,应评价水位变化而引起的地基土强度变化和对基础的影响;

3 对位于地下水水位以下的基础及结构应评价地下水对混凝土和金属材料的腐蚀性。

8.2.2 评价地下水对边坡及挡墙的影响应符合下列要求:

1 当地下水引起坡体质量增加,岩体结构面强度降低,软弱层软化,应评价岩、土层面分界面处水流聚集和抗剪强度降低等对边坡稳定性的影响;

2 当坡体有细砂、粉砂或粉土层存在时,应评价产生潜蚀、流砂或管涌的可能性以及对坡体稳定性的影响;

3 挡墙设计时,应评价不同排水条件下孔隙水压力对挡墙的作用,应估算地下水的侧向排泄量。

8.2.3 评价地下水对基坑的影响应符合下列要求:

1 当基坑开挖深度低于地下水位时,应评价地下水对基坑开挖、基坑支护的影响,当基坑涌水量较大时,应进行专门的基坑降水试验和降水设计;

2 当地下水以下的基坑开挖深度内分布有砂土或粉土时,应评价产生潜蚀、流砂或管涌的可能性以及对基坑支护的影响;

3 当基坑以下存在承压含水层时,应评价产生底突、涌水的可能性,提出预防措施的建议;

4 当需要进行工程降水时,应评价降水对基底土层、基坑稳定和周围建(构)筑物的影响。

8.2.4 评价岩溶地区地下水作用应符合下列要求:

1 岩溶地区开挖基坑时,应评价产生突水的可能性;

2 岩溶地区进行抽水或降水时,应评价产生岩溶塌陷的可能性;

3 当岩溶地区地下水的运动状态发生改变时,应评价地下水运动对洞穴堆积物的影响,以及引发土洞的可能性。

8.2.5 地下水的腐蚀性评价应符合现行国家标准《岩土工程勘察规范》GB 50021 的规定。

9 勘探、原位测试及室内试验

9.1 工程地质调查与测绘

9.1.1 工程地质调查与测绘应查明工程场地及附近的地形地貌、地层岩性、地质构造、不良地质作用及地下水条件等，并结合区域地质资料，分析工程场地的工程地质条件和存在的主要工程地质问题，为工程场地选择和确定勘探与测试方法提供依据。

9.1.2 工程地质调查与测绘宜包括下列内容：

1 查明场地地貌形态与特征，划分地貌单元，分析微地貌与地层岩性、地质构造和不良地质作用的相互关系；

2 查明岩土层的名称、地质时代、成因类型、性质、厚度、分层结构及其分布规律；

3 查明岩层的产状及其构造类型，断裂与节理裂隙的发育、充填和胶结情况，岩、土的接触面与软弱夹层的特征，分析软弱结构面的组合关系；

4 查明岩溶、土洞、滑坡、泥石流、冲沟、崩塌、地面沉降、断裂、地裂缝、岸边冲刷等不良地质作用的形成、分布、形态、发育程度及其对工程建设的影响；

5 查明场地地下水类型、补排条件、井泉位置，含水层的岩性特征、埋藏条件、水位变化、污染情况及其与地表水的关系；

6 调查场地及附近第四纪构造活动的形迹特点与地震活动性的相互关系；

7 调查工程建设活动对场地岩土体和边坡稳定性的影响；

8 调查场地有无压矿、采矿，调查矿区塌陷等的影响边界范围；

9 调查当地建（构）筑物的变形破坏、岩土工程治理和当地工程经验。

9.1.3 工程地质测绘的方法及精度应符合现行电力行业标准《火力发电厂工程地质测绘技术规定》DL/T 5104 的规定。

9.1.4 工程地质调查与测绘的成果资料可根据场地工程地质条件复杂程度和工程实际需要,提供实际材料图、综合工程地质图、综合地质柱状图、工程地质剖面图以及各种素描、照片和文字说明等。

9.2 勘探与取样

9.2.1 查明岩土的性质和分布,采取岩土试样时,可采用钻探、井探、槽探和地球物理勘探等。勘探方法的选取应考虑勘测目的和岩土特性。

9.2.2 钻探方法可根据地层岩性以及勘测要求确定,并应符合下列规定:

1 钻进深度和岩土分层深度的量测误差范围应为±5cm;

2 钻进回次进尺,对于螺旋钻应在 1m 以内,对岩芯钻、第四系岩土以及残坡积层应在 2m 以内,完整岩石应在 3m 以内;

3 当在地下水水位以上的黏性土、粉土和砂土中钻进时,宜进行干钻;

4 岩芯采取率应满足分层与野外描述的需要,对于完整和较完整岩体不应低于 80%,较破碎和破碎岩体不应低于 65%,对岩层的岩芯采取率有特殊要求时,应根据地层特点,采取特殊的方法提高岩芯采取率;

5 特殊性岩土的钻探和取样要求除应符合本标准外,尚应符合国家现行有关标准的规定;

6 钻孔对后续工程或地质环境有影响时,应在钻探工作结束后封孔;

7 钻探记录和编录应符合现行电力行业标准《电力工程岩土描述技术规程》DL/T 5160 的规定。

9.2.3 浅部土层的勘探可采用小口径麻花钻或洛阳铲钻进。

9.2.4 井探或槽探开挖应符合下列要求：

1 探井开挖形状可按当地经验确定，井槽壁存在坍塌危险时，应采取有效支护措施；

2 井、槽探技术工作完成后，应及时回填，采用原土回填时应夯实，需做加固回填的，可掺和石灰、水泥等硬、固性材料。

9.2.5 工程物探方法可根据工程场地地层类别选择使用，物探成果应配合其他勘探成果进行综合解译，并应有已知的物探参数或其他勘探手段配合和验证。

9.2.6 取样应根据地层的特性、均匀性和试验要求确定，并应符合下列要求：

1 钻孔中采取Ⅰ级、Ⅱ级砂试样时，应采用原状取砂器；

2 钻孔中采取Ⅰ级、Ⅱ级土试样时，对于饱和软黏性土、粉土宜采用泥浆护壁，取样时宜用快速静力连续压入法。下放取土器前应清孔，孔底残余浮土厚度不应大于取土器废土段长度；

3 Ⅰ级、Ⅱ级、Ⅲ级土试样应立即封存，在包装、保存、运输过程中应防晒、防震、防冻，防止湿度和结构发生变化。土试样存放时间不宜超过三周，对于易振动液化和水分离析的土试样宜就近试验；

4 岩石试样可采取钻探岩芯制作或在探井、探槽、竖井和平洞中刻取，采取的毛样尺寸应满足试块加工的要求；

5 不同质量等级土试样的取样工具、方法、试样的质量等级及相适应的试验项目应符合现行国家标准《岩土工程勘察规范》GB 50021 的规定。

9.3 原 位 测 试

9.3.1 原位测试方法应根据场地岩土条件、设计要求、地区经验和测试方法的适用性等因素合理选用。常用原位测试方法、适用条件以及应用范围应符合本标准附录B的规定。

9.3.2 原位测试所采用的设备、操作方法和原始记录、资料整理与成果分析等应符合现行国家标准《岩土工程勘察规范》GB 50021 的规定。

9.3.3 根据原位测试成果,利用当地经验估算岩土工程参数和对岩土工程问题作出评价时,应与室内试验作对比分析,检验其可靠性。

9.3.4 分析原位测试成果资料时,应注意仪器设备、试验条件、试验方法等对试验结果的影响。

9.4 室内试验

9.4.1 室内试验项目和试验方法应根据工程要求和岩土性质确定。

9.4.2 室内土工试验方法应符合现行国家标准《土工试验方法标准》GB/T 50123 的规定,室内岩石试验应符合现行国家标准《工程岩体试验方法标准》GB/T 50266 的规定。

9.4.3 各类地基均应提供土的分类定名和物理性质指标,有经验的地区,比重可根据经验确定,但对有机质含量大于 5% 的土应实测土的比重。

9.4.4 土的固结试验应符合下列要求:

    1 当采用压缩模量进行沉降计算时,固结试验最大压力应大于土的有效自重压力与附加压力之和,试验成果可用 $e\text{-}P$ 曲线整理,当考虑基坑开挖卸荷和再加荷载影响时,应进行回弹试验;

    2 当考虑土的应力历史进行沉降计算时,试验成果应按 $e\text{-}\log P$ 曲线整理,确定先期固结压力,并计算压缩指数和回弹指数。

9.4.5 土的抗剪强度试验应符合下列要求:

    1 三轴剪切试验应根据工程实际条件采用适宜的排水条件;

    2 直接剪切试验的试验方法应根据荷载类型、加荷速率和地基土的排水条件确定;

3 无侧限抗压强度试验适用于饱和黏性土,宜采用Ⅰ级土样,并标注取样方法,试验报告应提供原状土强度、扰动土强度和灵敏度;

4 对于具有泥化夹层的地基、裂隙硬黏土土坡的长期稳定性分析等应采用反复直剪强度试验。

9.4.6 土的渗透试验应符合下列要求:

1 当需进行渗流分析、基坑降水设计等要求提供土的渗透参数时,可进行渗透试验。常水头渗透试验适用于砂土,变水头渗透试验适用于粉土和黏性土;

2 对于透水性很低的饱和黏性土,可通过固结试验测定水平、竖向固结系数,计算水平向、垂直向渗透系数。

9.4.7 岩石试验应符合下列要求:

1 岩石的矿物成分和物理性质试验项目可根据工程需要和岩石特性选取;

2 单轴抗压强度试验应根据需要测定天然、干燥和饱和状态下的强度,并提供极限抗压强度和软化系数等参数。岩石的弹性模量和泊松比可根据单轴压缩变形试验测定;

3 岩石三轴压缩试验宜根据其应力状态选用四种围压,并提供不同围压下的主应力差与轴向应变关系、抗剪强度包络线和强度参数 c、Φ 值;

4 岩石直接剪切试验可测定岩石以及节理面、滑动面、断层面或岩层层面等不连续面上的抗剪强度,并提供 c、Φ 值和各法向应力下的剪应力与位移曲线;

5 当间接确定岩石的强度和模量时,可进行点荷载试验和声波速度测试。

9.5 土壤电、热参数测试

9.5.1 土壤电阻率参数的量测方法、仪表精度、外观观测、误差检验、数据校正、资料解译和量测精度应符合现行电力行业标准《电力工程物探技术规程》DL/T 5159 的规定。

9.5.2 土壤电阻率量测方法的选择应符合下列规定：

1 量测 0m～200m 的土壤电阻率宜采用对称四极电测深法；

2 量测 200m～2000m 的土壤电阻率宜采用瞬变电磁法；

3 量测 2000m～30000m 及以上的土壤电阻率宜采用大地电磁测深法（MT）和连续电磁剖面法（EMAP）。

9.5.3 土壤电阻率量测应符合下列规定：

1 应结合变电站规模、场地复杂程度、电性层特性和设计要求均匀布置土壤电阻率测点，量测密度不宜低于每 1000m² 一个点，且不宜少于 30 点。地质地貌单元及地层较复杂地段应增加测点；

2 当地层土壤电阻率各向异性较大时，应在测点相互垂直的两个方向上布设测线量测；

3 整平场地应在填筑完成后进行量测；

4 接地极电阻率量测时，最大量测极距应根据极圈形状和直径确定，且不宜小于 1 倍极圈直径。

9.5.4 土壤热参数测试宜根据工程情况和岩土特性，选择室内试验或现场测试。热导率测试可选择均匀热平板稳态法、激光脉冲法和热线法；热容率测试可选择量热计法、脉冲法等；现场测试可选择线热源双探针法。

9.5.5 土壤热容率、热导率测试应符合下列要求：

1 土壤热容率、热导率测点应根据设计要求和接地极埋设深度处的地层复杂程度均匀布点，测点不应少于 10 个；

2 线热源双探针法在室内测试时，试样尺寸和厚度的选择宜符合试验方法及选用试验仪器的要求，试样的制备应符合现行国家标准《土工试验方法标准》GB/T 50123 的规定。试样数量不应少于 10 件，试样等级宜为 Ⅰ 级或 Ⅱ 级；

3 土壤热参数测试应考虑土壤含水量的变化，宜按原状土干密度配制试样的风干、半风干及饱和三种状态进行测试；

4 测试温度的选择应与实际工况相符合,并进行两次并行测定;

5 测试成果报告应提供采用的方法和仪器,土试样的名称、厚度、含水率及密度等。

10 原 体 试 验

10.0.1 对于新建330kV及以上变电站,当采用人工地基或桩基础时,宜进行原体试验工作。

10.0.2 原体试验的主要任务是检验拟采用的地基处理或桩基方案对场地岩土工程条件的适应性及效果,为地基方案设计和优化提供依据,确定施工工艺参数,推荐质量检测手段和标准。

10.0.3 原体试验应包括以下工作内容:

    1 原体试验设计;

    2 原体试验施工;

    3 原体试验测试;

    4 原体试验成果报告编制。

10.0.4 原体试验前应编制原体试验大纲,大纲的主要内容应包括试验的内容、工作量、原体试验设计、测试内容、施工工艺及组织、质量保证措施,设备及人员配置和工期等。

10.0.5 原体试验应选择有代表性的地段进行,试验前应对试验场地进行勘测。

10.0.6 原体试验施工前应按有关施工技术规定的要求编制施工组织设计。

10.0.7 人工地基原体试验设计应包括以下内容:

    1 原体试验的目的、要求、试验内容、方法和工作量等;

    2 原体试验方案的设计;

    3 原体试验的测试手段、方法、工作量及布置方案;

    4 施工工艺及机具的选择。

10.0.8 人工地基原体试验测试宜采用载荷试验、钻探、坑探、静力触探试验、标准贯入试验、物探和室内试验等手段,测试技术要求应按现行国家标准《岩土工程勘察规范》GB 50021 和现行行业标准《建筑地基处理技术规范》JGJ 79 的有关规定执行。

10.0.9 桩基原体试验设计应包括以下内容：

1 试验目的、项目、方法和试验数量；

2 预估单桩极限承载力；

3 桩身设计，包括桩型、桩径、桩长及材质等；

4 桩位布置及反力装置设计；

5 施工机具的选择、施工工艺设计及要求；

6 测试的方法及仪器设备。

10.0.10 桩基原体试验应根据工程需要和站址工程地质条件采用综合的测试方法，测试技术要求应符合现行电力行业标准《电力工程地基处理技术规程》DL/T 5024 的规定。软土地区宜对打入桩引起的地面和深层土体位移以及孔隙水压力进行测试，并对振动和噪声对周围环境的影响监测。工程需要时，宜进行桩身应力应变和桩端位移测试。

10.0.11 原体试验报告应对试验桩型或地基处理方法对场地的适宜性作出评价，为设计方案优化提供参数，确定施工工艺，推荐施工参数及检测手段，并应包括下列内容：

1 原体试验的目的、内容、依据的技术标准；

2 场地岩土工程条件；

3 原体试验方案设计；

4 原体试验施工情况，包括采用的施工设备、工艺参数及质量分析；

5 原体试验检测手段、工作量、结果及分析，提出设计参数及方案优化建议；

6 必要的图表及附件，包括施工和检测报告等。

11 现 场 检 验

11.0.1 现场检验应核对施工开挖揭露的岩性、地层结构、地下水等条件是否与岩土工程勘测报告提供的资料相符,对出现的异常情况进行分析,必要时采取适宜的手段予以查清,对施工中出现的岩土工程问题提出处理意见。

11.0.2 现场检验的方法应以直观检验为主,对于土质地基,可采用轻型动力触探或钎探等方法。

11.0.3 天然地基基坑检验应符合下列要求:

    1 了解建(构)筑物的施工位置、平面尺寸和基底标高是否符合设计要求;

    2 检查基底地层岩性和地下水情况是否与勘测资料相符;

    3 检查由于基槽开挖,基底地层是否存在扰动等情况;

    4 检查施工单位对基底土层进行的钎探试验资料,分析基底是否存在墓穴、空洞、被掩埋的古河道等。

11.0.4 开挖边坡检验应符合下列要求:

    1 了解边坡开挖施工方案;

    2 了解边坡放坡的实际位置、断面尺寸和坡角是否与设计文件相符;

    3 核对开挖边坡的岩性、构造和地下水条件是否与勘测资料相符;

    4 观察开挖边坡是否存在滑坡、错落、崩塌和危石等不良地质作用。

11.0.5 现场检验成果的编制应符合下列要求:

    1 检验记录内容应包括施工揭露的地质条件与勘测资料是否相符合,对基坑、边坡中出现的岩土工程问题的处理措施或建议；

2 当岩土工程条件复杂，或检验工作量较大时，现场检验工作全部完成后，可根据工程需要编制现场检验报告。检验报告内容应包括工程概况、所检验建筑物基础设计和边坡设计简况、建筑物基坑开挖和边坡施工实施情况、现场检验方法与过程、现场检验结果与勘测资料的差异及其原因分析、相应处理措施或建议。

12 岩土工程分析

12.1 一般规定

12.1.1 岩土工程分析评价应包括下列内容：

    1 站址稳定性和适宜性；

    2 岩土体、地下水的工程条件、性质、指标和统计参数；

    3 地基与基础形式及技术、经济分析与比较；

    4 工程施工与运行中的岩土工程问题分析；

    5 环境地质问题。

12.1.2 岩土工程分析应根据勘测阶段按下列要求进行：

    1 可行性研究阶段应对站址稳定性、不良地质作用、地基与基础形式及影响工程造价的重要问题作出分析评价；

    2 初步设计阶段应对可行性研究阶段存在的岩土工程问题作进一步研究，对岩土工程设计参数给出定值，提出岩土工程建议；

    3 施工图设计阶段应对施工中可能发生的岩土工程问题作出预测，并提出处理方法和建议。

12.1.3 岩土工程分析应符合下列要求：

    1 了解建（构）筑物的结构类型、荷载及变形控制要求；

    2 在掌握站址地质背景的条件下，划分地质单元和层次；

    3 确定岩土设计参数时，应考虑岩土的非均质性、各向异性和随时间、环境的变化，评价岩土参数的不确定性，提出有代表性的估值；

    4 对不同测试方法所得的结果进行分析比较；

    5 分析计算的结果宜与已有建筑经验进行对比，必要时，利用原体试验、检测和监测数据进行校正和调整。

12.1.4 岩土工程定性分析和定量分析应符合下列要求：

1 全新活动断裂、特殊地质条件和不良地质作用对站址稳定性和适宜性可进行定性分析；

2 对岩土体变形的预测、地基承载力的确定、其他各种临界状态的判定等宜进行定量分析；

3 岩土工程定量分析宜采用定值法，必要时可辅以概率法。

12.1.5 岩土工程分析评价中的计算方法应符合下列要求：

1 对于评价地基承载力和边坡、支护结构、地基稳定性等问题，应按承载能力极限状态计算；

2 对于岩土体的变形、动力反应、透水性、涌水量等问题，应按正常使用极限状态进行计算。

12.2 岩土参数分析

12.2.1 岩土参数的选取应根据工程特点、岩土条件确定，对所选参数应分析评价其代表性、可靠性和适宜性。

12.2.2 岩土参数分析评价应包括下列内容：

1 取样方法和其他因素对试验结果的影响；

2 试验方法和取值标准；

3 同一岩土单元内不同试验、测试方法所得结果的对比分析；

4 统计分析结果所使用试验数据的离散性分析；

5 原体试验结果、岩土工程经验数据的分析。

12.2.3 岩土参数统计分析应符合下列要求：

1 岩土物理力学指标应按岩土单元和建筑地段逐层进行统计；

2 岩土主要物理力学参数应提供平均值、标准差、变异系数、数据分布范围和数据的数量；

3 必要时应分析主要建筑物基础持力层岩土参数沿深度和水平方向的变异规律。

12.3 地基基础分析评价

12.3.1 天然地基分析与评价应包括下列内容：

1 根据建(构)筑物基础的设计条件,分析地基岩土条件及性质,评价其均匀性,推荐天然地基持力层,并对压缩层及下卧层的岩土条件、性状作出评价；

2 确定地基承载力、压缩模量、抗剪强度及重度等指标的特征值或标准值；

3 分析评价地下水对基础设计和施工可能带来的影响并提供相应参数；

4 分析基坑边坡稳定性和对邻近建筑物的安全影响,提出采取的防护措施和有关设计参数。

12.3.2 建筑物地基属于以下情况之一时,宜进行地基均匀性分析：

1 建(构)筑物跨越两个或以上不同地质单元；

2 建(构)筑物地基压缩层范围内,地层成因时代混杂,岩性不均,或有岩性差别较大的夹层或透镜体；

3 建(构)筑物基础底面压缩层范围内岩土的压缩性质在平面有显著差异。

12.3.3 对不均匀地基应进行变形分析,结合建(构)筑物结构安全等级提出采取结构和地基处理措施建议。

12.3.4 建(构)筑物地基岩土承载力的确定应根据建(构)筑物结构安全等级,结合本地区建筑经验,按下列规定确定：

1 对于一级建筑物应根据理论计算、室内试验成果及原位测试数据综合确定,必要时可通过静载荷试验方法确定；

2 对于其他等级的建(构)筑物可根据室内试验、原位测试成果确定。

12.3.5 对于一级建筑物,必要时宜进行最终沉降量、基础上拔和倾覆稳定计算。最终沉降量的计算应符合现行国家标准《建筑地基基础设计规范》GB 50007 的有关要求。

12.3.6 遇下列条件时,应采用地基处理或桩基础:

   1 天然地基承载力或变形不能满足建(构)筑物使用要求;

   2 地基土中存在液化等级或湿陷等级较高的地层;

   3 地基土中存在隐埋的湖、塘、暗沟、溶洞、土洞或墓穴;

   4 经技术经济比较,需要进行地基处理或采用桩基础的工程。

12.3.7 变电站内建(构)筑物进行地基处理或采用桩基础时,应优先考虑浅层地基处理方法,并应符合地基处理的适用条件。

12.3.8 进行地基处理或采用桩基时,应分析评价方案的必要性和可行性,通过技术经济比较,推荐技术可靠、经济合理的方案。

13 勘 测 成 品

13.0.1 编制勘测成品时,应对所依据的原始资料进行整理、检查、分析,确定无误后方可使用。

13.0.2 岩土工程勘测报告的内容应根据任务要求、勘测阶段、工程地质条件等进行编制,并应符合下列要求:

    1 可行性研究阶段勘测报告应对站址稳定性、影响建站的不良地质作用、环境地质条件等问题作出评价,对主要建筑物拟采用的地基类型提出意见,同时根据站址稳定性、地基土工程性质、地下水条件等推荐岩土工程条件较好的站址;

    2 初步设计阶段、施工图设计阶段勘测报告应对建(构)筑物地段岩土工程条件进行分析与评价,提出地基基础方案建议,提供地基基础方案设计所需岩土参数,对施工中可能遇到的岩土问题提出建议。

13.0.3 可行性研究阶段岩土工程勘测报告的文字部分宜包括下列内容:

    1 工程概况、任务要求、勘测工作概况;

    2 区域地质、地质构造、地震地质及站址稳定性评价;

    3 各站址工程地质条件分析与评价;

    4 站址方案比选。

13.0.4 初步设计和施工图设计阶段岩土工程勘测报告的文字部分宜包括下列内容:

    1 工程概况、任务要求、勘测工作概况;

    2 场地工程地质条件分析与评价;

    3 地基基础方案论证、不良地质作用整治以及岩土工程问题预测;

4 结论及建议。

13.0.5 岩土工程勘测报告中的图件编绘应符合现行电力行业标准《火力发电厂岩土工程勘测资料整编技术规定》DL/T 5093 的规定,岩土工程勘测报告应附下列图件:

1 区域地质构造及地震震中分布图;

2 综合工程地质图或工程地质分区图;

3 勘探点平面布置图;

4 综合柱状图;

5 单孔柱状图;

6 工程地质剖面图;

7 原位测试成果图表;

8 岩土物理力学指标统计表;

9 勘探点主要指标一览表;

10 水分析成果表;

11 岩土试验成果图表。

13.0.6 工程需要时,可编制站址区域构造稳定性分析、岩土原位测试报告、地基处理方案及桩基造型论证等专题报告。

13.0.7 对于简单场地的变电站,资料整理可采用综合图表形式。

附录 A 边坡容许坡度值

表 A 边坡容许坡度值

边坡岩土类别	风化程度	容许边坡值（高宽比）			
		坡高在8m以内	坡高为8m～15m	坡高为15m～30m	坡高为30m～40m
硬质岩石	未风化	1∶0.00～1∶0.10	1∶0.10～1∶0.20	1∶0.20～1∶0.30	1∶0.30～1∶0.45
	微风化	1∶0.10～1∶0.20	1∶0.20～1∶0.35	1∶0.30～1∶0.50	1∶0.45～1∶0.75
	中等风化	1∶0.20～1∶0.35	1∶0.35～1∶0.50	1∶0.50～1∶0.75	1∶0.75～1∶1.00
	强风化	1∶0.35～1∶0.50	1∶0.50～1∶0.75	1∶0.75～1∶1.00	1∶1.00～1∶1.50
	全风化	1∶0.50～1∶0.75	1∶0.75～1∶1.00	1∶1.00～1∶1.50	—
软质岩石	未风化	1∶0.20～1∶0.35	1∶0.35～1∶0.50	1∶0.50～1∶0.75	1∶0.75～1∶1.00
	微风化	1∶0.35～1∶0.50	1∶0.50～1∶0.75	1∶0.75～1∶1.00	1∶1.00～1∶1.50
	中等风化	1∶0.50～1∶0.75	1∶0.75～1∶1.00	1∶1.00～1∶1.50	1∶1.00～1∶1.50
	强风化	1∶0.75～1∶1.00	1∶1.00～1∶1.25	1∶1.25～1∶1.75	—
	全风化	1∶1.00～1∶1.50	1∶1.50～1∶2.00	—	—
碎石土	密实度	坡高在5m以内		坡高为5m～10m	
	密实	1∶0.35～1∶0.50		1∶0.50～1∶0.75	
	中密	1∶0.50～1∶0.75		1∶0.75～1∶1.00	
	稍密	1∶0.75～1∶1.00		1∶1.00～1∶1.25	

续表 A

边坡岩土类别	风化程度	容许边坡值（高宽比）			
		坡高在8m以内	坡高为8m～15m	坡高为15m～30m	坡高为30m～40m
黏性土及粉土	状态	坡高在5m以内		坡高为5m～10m	
	坚硬	1：0.75～1：1.00		1：1.00～1：1.25	
	硬塑	1：1.00～1：1.25		1：1.25～1：1.50	
黄土	地质时代	坡高在5m以内	坡高为5m～10m	坡高为10m～15m	
	次生黄土 Q_4	1：0.50～1：0.75	1：0.75～1：1.00	1：1.00～1：1.25	
	马兰黄土 Q_3	1：0.30～1：0.50	1：0.50～1：0.75	1：0.75～1：1.00	
	离石黄土 Q_2	1：0.20～1：0.30	1：0.30～1：0.50	1：0.50～1：0.75	
	午城黄土 Q_1	1：0.10～1：0.20	1：0.20～1：0.30	1：0.30～1：0.50	

注：1 应考虑地区性的水文、气象等条件，结合具体情况使用；括号内为参考值，"—"表示边坡高度加以限制。

    2 本表不适用于岩层层面或主要节理面有顺坡向滑动可能的边坡，或有地下水活动地段的边坡。

    3 本表不适用于新近堆积黄土（Q_4^2）。

    4 表中适用于碎石土的充填物为坚硬或硬塑状态的黏性土、粉土；对于砂土或充填物为砂土的碎石土，其边坡坡度容许值均按自然休止角确定。

    5 混合土可参照表中相近的土执行。

附录 B　原位测试方法、适用条件及应用范围

表 B　原位测试方法、适用条件及应用范围

测试方法		适用条件	应用范围
静载荷试验（包括平板和螺旋板）		各类土层、极软岩、软岩及强风化岩石，浅层平板载荷试验适用于浅层地基土，深层平板载荷试验和螺旋板载荷试验适用于深层地基土	(1)确定地基土承载力； (2)计算均匀地基土的变形模量、压缩模量； (3)计算岩土的基准基床系数(浅层平板)； (4)测定湿陷性土的湿陷起始压力； (5)测定饱和软黏土的不排水抗剪强度； (6)测定土的固结系数(螺旋板)
静力触探试验		黏性土、粉土、砂土、素填土、冲填土和新加固的复合地基	(1)获得连续直观的土性变化柱状图，划分土层，判别土的类别； (2)判定土的均匀性、砂土的密实度； (3)估算地基土承载力及土的力学参数； (4)判别场地地基液化； (5)选择桩基持力层、判别沉桩可能性和预估单桩承载力； (6)检验填土质量和地基处理效果； (7)孔压静探进行消散试验后，可估算土的固结系数
动力触探试验	轻型	浅层黏性土、粉土及其组成的素填土	(1)评价土的均匀性； (2)确定地基土承载力； (3)检验填土质量和地基处理效果
	重型	砂土、碎石土和极软岩	(1)判别岩土的密实度，并进行力学分层； (2)确定地基承载力及碎石土压缩模量参考值； (3)选择桩基持力层、判别沉桩可能性和预估单桩承载力
	超重型	碎石土、极软岩和软岩	(1)确定地基土承载力； (2)选择桩基持力层、判别沉桩可能性和预估单桩承载力

测试方法	适 用 条 件	应 用 范 围
标准贯入试验	黏性土、粉土及砂土	(1)判别砂土密实度； (2)判别场地地基液化； (3)确定地基土承载力和压缩模量； (4)选择桩基持力层、判别沉桩可能性和预估单桩承载力
十字板剪切试验	饱和软黏性土	(1)测定原位应力条件下土的不排水抗剪强度和土体破坏后的残余强度； (2)计算土的灵敏度； (3)计算地基土承载力； (4)验算软黏性土边坡的稳定性
旁压试验	黏性土、粉土、砂土及极软岩、软岩	(1)估算地基土承载力； (2)估算土的旁压模量、旁压剪切模量及侧向基床系数； (3)估算软土的不排水抗剪强度和砂土的内摩擦角； (4)确定土的静止测压力系数(自钻式旁压试验)； (5)检验地基处理效果
扁铲侧胀试验	黏性土、粉土、松散～中密的砂土	(1)获得连续直观的土性变化柱状图，划分土层，判别土的类别； (2)估算土的静止测压力系数和水平向基床系数； (3)估算土的压缩模量； (4)估算黏性土的不排水抗剪强度； (5)判别场地地基液化； (6)估算地基承载力
波速测试	各类土层	(1)测定土的剪切波速和压缩波波速，划分场地土类型； (2)提供地震反应分析所需的地基土动力参数(动剪模量、动弹性模量、动泊松比、场地卓越周期)； (3)评价场地地基液化； (4)检验地基处理效果

本标准用词说明

1　为便于在执行本标准条文时区别对待,对要求严格程度不同的用词说明如下:

　　1)表示很严格,非这样做不可的:

　　　正面词采用"必须",反面词采用"严禁";

　　2)表示严格,在正常情况下均应这样做的:

　　　正面词采用"应",反面词采用"不应"或"不得";

　　3)表示允许稍有选择,在条件许可时首先应这样做的:

　　　正面词采用"宜",反面词采用"不宜";

　　4)表示有选择,在一定条件下可以这样做的,采用"可"。

2　条文中指明应按其他有关标准执行的写法为:"应符合……的规定"或"应按……执行"。

引用标准名录

《建筑地基基础设计规范》GB 50007

《建筑抗震设计规范》GB 50011

《岩土工程勘察规范》GB 50021

《湿陷性黄土地区建筑规范》GB 50025

《膨胀土地区建筑技术规范》GB 50112

《土工试验方法标准》GB/T 50123

《工程岩体试验方法标准》GB/T 50266

《建筑边坡工程技术规范》GB 50330

《电力工程地基处理技术规程》DL/T 5024

《火力发电厂岩土工程勘测资料整编技术规定》DL/T 5093

《火力发电厂工程地质测绘技术规定》DL/T 5104

《电力工程物探技术规程》DL/T 5159

《电力工程岩土描述技术规程》DL/T 5160

《建筑地基处理技术规范》JGJ 79

中华人民共和国电力行业标准

变电站岩土工程勘测技术规程

DL/T 5170—2015
代替 DL/T 5170—2002

条 文 说 明

修 订 说 明

《变电站岩土工程勘测技术规程》DL/T 5170—2015,经国家能源局于 2015 年 4 月 2 日以第 3 号公告批准发布。

本标准是在《变电所岩土工程勘测技术规程》DL/T 5170—2002 的基础上修订而成,上一版的主编单位是国电华北电力设计院工程有限公司,参编单位是中国电力工程顾问集团公司、中南电力设计院、云南省电力设计院,主要起草人员是周建石、孟繁柱、邓南文、艾传井、刘存合、闫洪军、孟庆辉、赵春宏、彭玉环、彭念祖。

本标准修订过程中,编制组认真总结了近年我国各地变电站岩土工程勘测积累的成熟工程经验,特别是特高压变电站、换流站、城市地下变电站的工程实践经验,吸取了相关科研成果,并广泛征求了有关设计和设计管理单位的意见。

为了便于广大设计、施工、科研、学校等单位有关人员在使用本标准时能正确理解和执行条文规定,《变电站岩土工程勘测技术规程》编制组按章、节、条顺序编制了本标准的条文说明,对条文规定的目的、依据以及执行中需要注意的有关事项进行了说明。但是,本条文说明不具备与标准正文同等的法律效力,仅供使用者作为理解和把握标准规定的参考。

目　　次

1 总 则

1.0.1 变电站是电力系统中输电和配电的结合点，各级电压电网通过变电站连接，变电站安全稳定运行对整个电网是至关重要的。近几年，国家为实现能源资源优化配置，跨大区域、高容量、高效率输电，相继开工建设了1000kV和±800kV特高压线路工程，特高压变电站和换流站相继建设并投产运行。特高压电网覆盖范围大，特高压站的任一事故影响是巨大的。特高压站对特高压电网的重要性，对从站址选择、工程地质条件评价，到岩土体的利用和改造、不良地质作用的整治等岩土工程工作提出了更高的要求。

另外，随着我国实行严格的耕地保护制度和节约集约用地制度，山间沟谷、围海造地、废弃矿坑等地带的站址越来越多，高填、深挖、不良地质作用发育等复杂工程问题日渐突出，变电站面临的岩土工程问题越来越多、越来越复杂。

本条规定了制定本标准的目的。变电站岩土工程勘测要紧密结合站址自然条件，因地制宜，同时要执行国家政策，做到环境友好。

2 术语和符号

2.1 术　语

2.1.1　地下变电站一般采用半地下或全地下结构,涉及的岩土工程问题主要有基坑支护、土体开挖卸荷的影响、降水、止水、结构的抗浮及地下结构施工等。地下变电站施工难度大、工程投资高,对岩土工程勘测工作要求高。

2.1.2　直流输电线路接地极不同于交流接地网,常工作在有源状态。当直流输电系统以单极大地回路运行,强大的电流通过接地极注入大地时,将出现接地极温度和大地电位升高、地面出现跨步电压、电极产生腐蚀现象,也可能出现对极址附近的地下金属构件及电力设施产生不良影响等问题。接地极极址一般应远离换流站10km~50km,分为陆地接地极和海洋(海岸)接地极两类。对于陆地接地极,极址应有足够的面积,地形应相对平坦,地下水分充足,表层土壤电阻率宜小于100Ω·m,以利于电极布置和运行,降低工程造价。对于海洋或海岸接地极,极址一般应位于便于运行的海湾,避免选择在淡水河流出口处。与接地极设计有关的极址土壤参数有表层土壤电阻率、大地深层乃至地壳的电阻率、热导率、热容率、地下水位和温度等。

2.1.3　世界上已投运的直流接地极形状各异,主要有直线形、星形和圆环形等。理论分析和运行结果表明,接地极泄入地中的电流密度大小及分布不仅与土壤电阻率大小和分布有关,而且与电极几何形状密切相关。在大地电阻率参数各向分布均匀的情况下,单圆环形电极各处电流密度分布均匀,因此地形宽阔地方通常采用圆环形接地极。

3 基 本 规 定

3.0.1 本条规定了变电站岩土工程勘测的基本要求。一是通过分析站址的区域稳定性、不良地质作用的发育情况及人类活动因素，对站址的适宜性作出评价，对站址方案进行比选，提出"适宜"或"不适宜"建站的意见；二是查明各建（构）筑物地段岩土体的工程地质、地下水条件等，进行岩土分析与评价，为设计、施工等提出岩土参数和建议。

3.0.2 变电站场地复杂程度的划分标准是场地的抗震性能、不良地质作用发育程度、地形地貌、岩土结构及性质和地下水对工程的影响等六项因素。划分的目的是既要突出重点，又要对不同场地的勘测工作有所侧重。

3.0.3 变电站建（构）筑物结构安全等级是根据现行电力行业标准《变电站建筑结构设计技术规程》DL/T 5457 中的有关规定确定的，考虑了结构破坏可能产生后果（危及人的生命、造成经济损失和产生社会影响）的严重性。不同的结构安全等级，结构计算时采用不同的结构重要性系数。

3.0.5 本条明确了变电站岩土工程勘测应分阶段进行，其阶段划分应与设计阶段相适应的原则。目前变电站设计采用三个阶段，因而勘测阶段也应与其相对应。

对于简单场地、中等复杂场地的 220kV 及以下的变电站，如总平面布置方案已确定，勘测阶段可合并，但勘测成品应满足最终勘测阶段的精度要求。对于扩建或改建变电站，当已有资料较多时，勘测阶段也可以合并。

3.0.6 对于重要变电工程（如特高压站）以及一些设计单位的习惯，在可行性研究阶段工作之前要进行规划选站勘测。岩土专业主要是通过踏勘及收资,对站址工程地质条件作出概略性说明,推荐条件较好的站址。规划选站阶段一般不做现场实物工作,不单独编制勘测报告。

3.0.7 施工勘测是指站址地质条件十分复杂(如岩溶强烈发育),虽按规定进行了施工图阶段勘测,但仍有难以查明的工程地质问题,应针对具体问题开展勘测,或是为满足特殊要求在施工阶段需进行地质工作(如地质预报、施工编录等)。施工勘测不是一个固定的勘测阶段,应视工程需要而确定。

3.0.8 变电站岩土工程勘测要在全面了解任务要求和现场条件的基础上,制定针对性强、目的明确、方法正确和可操作的岩土工程勘测技术大纲,并应根据现场工作过程中出现的新情况和新问题,及时调整勘测方案。

3.0.9 勘测方法的选择既要考虑场地岩土体性质,又要考虑需要解决的工程问题。勘测手段一般首选是否能直接获取工程所需的资料和数据,但有时不是一种方法就能揭示岩土体的性质和变化规律,因此一般需要采用多种勘测方法,特别是地质条件复杂时,往往需要采用多种勘探和测试手段。

3.0.10 岩土工程勘测所使用的仪器和设备是获取原始数据的重要工具,必须按有关规定定期进行检定或校准,以确保测试数据的有效性和准确性。应用于工程中的软件,须通过鉴定或验证,目的是确保软件是正确可靠的。

3.0.11 原体试验是选择有代表性的地段,以等同工程条件进行的工程实体试验,其目的是核实技术方案、取得设计参数、优化设计、确定施工工艺和检测方法。

3.0.12 岩土工程分析分定性分析和定量分析两类。站址适宜性和地质条件稳定性一般作定性分析,岩土体的变形、强度等应在定性基础上进行定量评价,定量评价所采用的参数和模型应与工程实际情况相符。

3.0.13 岩土工程勘测的核心是地基基础方案论证和岩土体利

用、改造方案的确定。评价工作应充分考虑站址工程地质条件和结构类型,因地制宜,充分吸取当地建筑经验,对不同方案进行经济技术比较,选出合理的方案。

3.0.14 岩土工程勘测报告是岩土勘测工作的最终成果,也是基础性的技术资料。不同阶段的勘测工作侧重点不同,勘测报告的编制深度也不同。

4 变电站各勘测阶段工作要求

4.1 可行性研究阶段勘测

4.1.1 本条规定了可行性研究阶段变电站岩土工程勘测工作的基本要求。本阶段主要解决两方面的问题，一是站址稳定性，即对对站址有影响的活动断裂和不良地质作用作出最终评价，推荐站址应具备适宜的地质条件，避开不良地质作用；二是确定地基类型，对拟选人工地基或桩基方案进行经济技术分析。经过本阶段勘测工作后，应确保推荐站址成立，不能在下阶段出现颠覆站址成立或有原则性出入的问题。

4.1.3 本条规定了变电站可行性研究阶段勘测应进行的主要工作。当站址周边存在地质灾害发育、矿产资源分布、活动断裂及地震活动时，将直接影响站址成立和工程投资，因此应根据工程需要和项目核准制的要求，在本阶段提出开展地质灾害危险性评估、压覆矿产评估和地震安全性评价等工作的建议。

4.1.5 对于复杂场地，或是山区站址，应采用地质调查与测绘，工作的范围应是站址整平或开挖边坡可能涉及的范围，一般应大于站址范围。

4.1.6 可行性研究阶段勘探点数量一般较少，勘探线应布置在拟选站址范围内，以基本能控制地貌单元及地质构造变化、地层分布及性质和不良地质作用分布为原则。

4.1.7 本条规定的勘探线数量和勘探深度是可行性研究阶段变电站勘探的最低要求，勘探线指基本垂直于地貌单元、地质单元分界线的剖面线。由于站址工程地质条件各不相同，勘探工作量的布置应根据站址地质条件综合确定，以满足第 4.1.3 条规定的可行性研究阶段的工作内容为原则。勘探深度应满足地基基础方案论证和液化判别的要求。

4.1.8 变电站建(构)筑物的地基方案宜首选天然地基。当天然地基不能满足要求时,推荐的地基处理方案或桩基方案应考虑技术、经济、施工条件,工期和当地建筑经验等因素,进行综合分析比较。

4.1.9 本条规定了按主要工程地质条件进行比选,推荐较优站址应考虑的主要内容。站址应避开活动断裂、滑坡、泥石流、崩塌等不良地质作用发育区,选择场地相对稳定、对抗震有利的站址。

4.2 初步设计阶段勘测

4.2.1 初步设计阶段要确定建(构)筑物地基基础形式、地基处理或桩基方案,以及建筑总平面布置方案。勘测工作一方面要为这些方案的确定提供所需岩土资料,另一方面要对建筑总平面布置提供优化建议。

4.2.3 初步设计阶段勘测时地基基础类型已基本确定,即采用天然地基、人工地基或桩基础。对于天然地基要查明地层规律和特点及其指标;对人工地基和桩基,要根据原体试验结果,确定不同建(构)筑物所采用的方案。因为可行性研究阶段勘测侧重于不良地质作用对场地稳定性的影响,初步设计阶段勘测要求对其整治方案进行论证。

4.2.4 勘探点、线布置应考虑场地的复杂程度。复杂场地勘探点的布置需注重地貌、地质构造单元和不良地质作用发育情况,有针对性地布置,条件适宜时,应有一定数量的探井和探槽,特别是在特殊土分布地区。探井和探槽一方面可以更直观地了解地层的结构、土体结构特征,防止将特殊土误判为一般土;另一方面可以校正钻探取样对室内试验结果的影响。

4.2.6 本次修订增加了特高压变电站勘探点深度的规定。

4.2.7 执行本条规定时,在山麓河谷地区需防止将孤石误判为基岩。

4.2.8 山区变电站的工程地质问题有深厚填土、高边坡及不良地质作用等。部分山区变电站地貌变化大、地质构造复杂，仅采用钻探方法不能查清场地工程地质条件，宜配合一定的工程地质测绘工作。为准确评价山区变电站地基的不均匀性，在地貌变化大、基岩起伏较大和第四系覆盖层岩性复杂地段宜适当加密勘探点。

4.2.9 本条规定每一主要土层的试样或原位测试数量不应少于6个，是根据试验结果统计分析要求确定的，即每一个主要试验参数均不应少于6个，而不是每一层土只取6个土样或进行6个原位测试。

4.2.10 当存在对基础设计、施工有影响的多层地下水时，应分层测量，分层取样进行腐蚀性分析。考虑到勘测时间较短，无长期水位观测孔，不能得到地下水位的变化幅度，需注重通过调查了解水位变化规律以及地下水补给与排泄条件。

4.2.13 确定变电站主要建(构)筑物的地基基础形式是初步设计阶段的重要内容。在初步设计阶段，站内建(构)筑物总图布置、荷载和地基方案等已经明确，为了满足工程设计进度要求，原体试验宜在本阶段进行。

4.3 施工图设计阶段勘测

4.3.1 施工图设计阶段建筑总平面布置、地基基础设计方案和岩土治理方案均已确定，勘测应针对不同建筑物进行，并对施工及运行可能引起的地质问题进行分析评价。

4.3.3 本条规定施工图勘测除满足提供地基基础设计的所需岩土参数外，还要对不良地质作用治理方案和可能的环境工程地质问题提出整治措施的建议。工程经验表明，变电站建(构)筑物基底荷载一般不大于150kPa，地基土强度在多数情况下可以满足要求，绝大多数与岩土工程有关的事故多与地基变形有关。当有相应的设计资料时，勘测单位除应对地基均匀性进行评价和提供地基土变形计算参数外，还可以进行变形分析。

4.3.4～4.3.6 条文对施工图设计阶段勘探点布置原则、勘探深度、取样及原位测试作了基本规定,其依据是施工图勘测的要求、多年经验总结和数理统计要求。750kV、1000kV 变电站的主变压器多采用单相变压器,其单相质量和外形尺寸与 500kV 三相变压器相当,勘探点应按单台布置。1000kV 构架高度高、荷载重,导线挂点高度为 45m～55m,出线间隔宽度 54m;1000kV 设备钢结构支架总高度为 20m 左右,单相设备重量约为 2.5t～7.8t,荷载重心高,结构自振周期长,对支架柱头处的变形要求严格。因此,本次修订将构(支)架区勘探深度最大值加大,以满足 1000kV 构(支)架的荷载大、变形要求高的特点。

5 地下变电站勘测

5.0.1 随着城市电网改造或配套特别重大工程项目,城区内需要新建或改造大批变电站,为适应城市市容美化的要求,变电站多转为地下,而受各种因素制约,基坑开挖不具备安全放坡的场地条件,需要按基坑范围施行垂直开挖,设置挡土结构进行支护。如 500kV 静安(世博)输变电项目,是 2010 年上海世博会的重要配套工程,位于上海市中心城区,采用全地下结构,基坑深度 33.4m,直径约 130.0m,地下主体结构采用框架剪力墙结构,基坑围护采用地下连续墙,墙深 55.8m,墙厚 1.2m。本章内容即针对此类工程。

　　本条规定为地下变电站勘测时应遵循的基本要求。初步设计阶段勘测以地基勘测为主,同时考虑基坑勘测,以提出初步的基坑支护方案建议;施工图设计阶段勘测的重点为基坑勘测,以提供基坑设计所需的岩土参数,并分析评价基坑开挖以及采取支护和地下水控制措施后基坑自身的稳定、与相邻结构和设施的相互影响。

5.0.2 勘测范围主要考虑基坑整体稳定性计算所需范围。一是受基坑开挖影响,一定范围内的土体应力状态发生变化,可能产生水平和垂直位移,该范围随土的性质而异,并受施工质量的影响;二是勘测范围应满足锚杆的设计与施工对岩土特性了解的要求,一般在锚杆长度所涉及的范围内都应布点勘测。

5.0.4 勘探深度主要根据基坑支护结构设计的要求,并应满足地基强度和变形计算、稳定性计算和地下水控制的要求。勘探点深度一般宜为 1.5 倍～2 倍开挖深度,对于软土,宜为 2 倍～3 倍开挖深度,或穿越软土层。在 500kV 静安(世博)输变电工程中,为准确了解各承压含水层的分布特征以确定地下水控制方案,实施了深达 116m 的控制性钻孔。

5.0.5 本条对室内试验作出规定。

1 运用回弹再压缩指数 C_s 计算再压缩沉降较为符合实际，它考虑了土的应力历史和更为实际的加荷和卸荷状态。

2 三轴剪切试验力学概念明确，可以控制试验排水条件，条文规定一般采用三轴剪切试验，但有可靠经验时也可采用直剪试验。

3 本款规定的一些非常规的特种试验，当进行稳定性分析时才会采用。

5.0.6 当地下水位高于基坑底面时，应采取措施降低地下水位或隔离地下水。降低地下水位的方法有集水明排和降水井，隔离地下水的方法可采用垂直和水平止水帷幕。需要提供的水文地质参数一般包括渗透系数、给水度、释水系数等，现场试验可采用抽水试验或注水试验等。

5.0.7～5.0.8 此两条规定内容均属基坑周围环境条件，其对基坑支护设计和地下水控制方法的选择起着至关重要的作用。在进行基坑支护设计和地下水控制方法选择时，一方面要保证基坑开挖的正常进行，同时要保证基坑开挖期间邻近建（构）筑物和市政设施的安全。为此，在详细了解周围环境条件的前提下，分析确定邻近建（构）筑物和地下管线等的变形允许值，以采用合理的支护结构和地下水控制方法。

5.0.9 勘测报告应对基坑支护方案和地下水控制提出建议。在软土地基中常用深层搅拌法、高压喷射注浆法和注浆法等，对支护结构被动区进行土质改良，减小基坑周围地面沉降。对因地下水位下降引起的地面沉降，可采用设置止水帷幕或回灌等方法使基坑四周地下水位不会因基坑内地下水位降低而降低。对邻近建（构）筑物和地下管线基础进行托换加固，常用方法有树根桩托换和锚杆静压桩托换等。

6 换流站勘测

6.1 可行性研究阶段勘测

6.1.1 换流站可行性研究阶段的岩土工程勘测主要是从岩土工程的角度对拟选站址的稳定性和主要工程地质条件作出基本评价,推荐场地相对稳定、工程地质条件较好的站址和极址方案。

6.1.2 条文中所列的规划选站岩土工程勘测工作,均是可能影响站址建设的工程地质问题,本阶段对这些问题应有定性的了解,防止出现原则性错误或遗漏。

6.1.3 规划选站勘测一般时间较短,且面广点多,只要求取得各站址的地震地质和主要工程地质条件的概略性对比资料,对影响站址建设的工程地质问题作出基本评价,并提出下阶段应查清解决的问题。工作方法以搜资、踏勘为主,只有当采用上述方法不能对一些影响站址成立与否的重大工程地质问题作出定性结论时,才需布置适量的工程地质调查、物探以及其他勘探工作。

6.1.4 本条规定了站址、极址比选应考虑的内容,以推荐场地相对稳定、有利于接地极建设、投资较少的站址进入可行性研究。评价和推荐站址时,首先要着眼其稳定性,分析各站址是否存在可能颠覆站址的地质问题。由于接地极具有较大尺寸的接地极环(单圆形极环直径一般为500m~800m),要求极环范围地形平坦、土壤电阻率较低,大地电阻率、土壤热导率、热容率等适宜建接地极。

6.1.5 由于换流站场地相对较大,勘探线应根据场地复杂程度按照间距确定,以满足场地对勘探点密度的要求。

6.1.7 可行性研究阶段接地极勘测要解决场地稳定问题和地基岩土对接地极的适宜性,以及由于接地极的建设可能引起的环境地质问题。

6.2 初步设计阶段勘测

6.2.1～6.2.2 初步设计阶段换流站本体岩土工程勘测的基本要求和主要工作与变电站基本相同，可参照本标准相关条款执行。

6.2.3 ±400kV、±500kV、±660kV 换流站本体和 ±800kV 换流站本体建设对岩土条件的要求分别与 330kV～750kV 和 1000kV 变电站相近，因此初步设计阶段勘探点深度的确定与本标准表 4.2.6 中电压等级为 330kV～750kV 和 750kV 以上变电站基本一致。

6.2.4 初步设计阶段接地极勘测要从岩土工程角度分析论证各引流塔（含中心塔和分支塔）的基础形式和地基处理或桩基础方案，以及总布置方案，为方案的确定和设计提供所需资料，对其他岩土治理工程进行详细研究和方案论证。

6.2.5 条文中所列接地极的勘探点布置原则、勘探点数量和深度只适用于一般场地和一般土，不适用于特殊岩土和不良地质作用发育的场地。

6.3 施工图设计阶段勘测

6.3.1、6.3.2 ±400kV、±500kV、±660kV 和 ±800kV 换流站本体施工图阶段岩土工程勘测的基本要求和主要工作与变电站基本相同，可参照本标准相关条款执行。

6.3.3 本条规定了换流站内建（构）筑物勘探点布置的基本要求。换流站本体中的主控制楼地基容许变形值与电厂主厂房框架相当，换流变压器和支撑式阀厅地基容许变形值与电厂汽轮发电机基础相当，滤波器支架地基容许变形值亦较低。在抗震方面，主控制楼、阀厅要求按抗震设防烈度提高一度采取构造措施。本条单独规定了主控制楼、阀厅和换流变压器等重要建（构）筑物地段的勘测要求，当地基为第四系松散层时，宜进行两种或两种以上的原位测试工作，必要时进行现场载荷试验，通过多种试验、测试方法和理论计算进行综合分析比较后确定岩土承载力及变形指标。对于滤波地段应根据荷载情况着重研究地基岩土的变形特征。其他建筑地段可参照 330kV～750kV 和 750kV 以上变电站施工图设计阶段勘测的规定。

6.3.5 接地极岩土工程勘测应针对接地极各引流塔和极圈的地基进行勘测,以确定基础型式和地基处理方案,同时应对环境地质问题引起重视。

6.3.6、6.3.7 条文中规定的勘探点布置原则和深度,其依据是接地极施工图勘测的要求、多年勘测经验的总结和数理统计的需要。

7 专门岩土工程和特殊性岩土勘测

7.1 活动断裂

7.1.2 断裂勘测应搜集站址及附近地区的地震和地质资料,了解本地区的地质发展史,地质构造背景,新构造运动特征、历史及现今地震活动的强度、频度和周期,地震危险性分析的小区划资料,充分利用有关的地震安全性评价报告对断裂的分析研究成果,做出合理的评价。

7.1.6 场地内存在全新活动断裂时,标准都要求对断裂的工程影响进行专门评价,根据评价结果确定合理的安全距离及处理措施。为了便于工程的前期工作开展,大多数标准也给出了建(构)筑物与断裂的安全距离及处理措施的一些建议值。例如,现行电力行业标准《变电所岩土工程勘测技术规程》DL/T 5170—2002 第8.1.6 条规定了重要变电站与断裂的安全距离及处理措施,对于强烈全新活动断裂及发震断裂,当抗震设防烈度大于或等于Ⅸ度时,宜避开断裂 500m;当抗震设防烈度为Ⅷ度时,宜避开断裂300m,并宜选择断裂下盘建设;对于中等全新活动断裂和微弱全新活动断裂宜避开断裂进行建设。现行电力行业标准《火力发电厂岩土工程勘测技术规程》DL/T 5074—2006 第 7.1.8 条规定了火力发电厂与断裂的安全距离及处理措施,对于强烈全新活动断裂及发震断裂,当抗震设防烈度大于或等于Ⅸ度时,宜避开断裂1200m;当抗震设防烈度为Ⅷ度时,宜避开断裂 800m,并宜选择断裂下盘建设;对于中等全新活动断裂,宜避开断裂 400m;对于微弱全新活动断裂宜避开断裂进行建设。现行国家标准《建筑抗震设计规范》GB 50011 中,对建(构)筑物与发震断裂的安全距离提出了建议,当抗震设防烈度为Ⅸ度和Ⅷ度、隐伏断裂的土层厚度分别不大于 90m 和 60m 时,建筑抗震设防乙类建筑的最小避让距离为 400m 和 200m。

李世柏在《由汶川地震看站址安全距离问题》(《电力勘测设计》2010 年 03 期)中提出,由于距离断裂带远近不同,龙门山断裂带及其附近的若干已建和待建变电站遭受的震害程度也明显不同。并通过对汶川地震后二台山、南坝、大康等已建或待建变电站工程场地的调查和分析,对其与地震断裂带距离、地震震害程度、地震前后地震基本烈度的变化,以及震后对场地适宜性的重新评价,具体内容如表 1 所示:

表 1 断裂带距离与场地适宜性对比表

变电站名称	距地震断裂带距离(km)	震害程度	地震前/地震后		场地适宜性
			地震加速度	地震基本烈度	
映秀二台山变电站	0.20	站内主控楼等建筑物全部倒塌,构架、支架 90%以上倒塌;挡墙普遍出现开裂、错位、局部外突和垮塌,边坡塌滑比比皆是,填土区发生了剧烈的沉降	0.10g/0.20g	Ⅶ度/Ⅷ度	不宜建站
拟建南坝变电站	0.85	站址西侧大型崩坡堆积,震后未发现坡体变形迹象,仅曾发生局部的崩塌,自然边坡整体稳定;场地及周边小范围采空区,地震后未发现地表塌陷现象	0.15g/0.20g	Ⅶ度/Ⅷ度	适宜建站
大康变电站	12	屋外配电装置构支架、变压器基础等构筑物未见损坏;主控楼扶壁柱、窗间墙等建筑物损坏极其严重	0.10g/0.15g	Ⅶ度	适宜建站
马角坝变电站	20	震后处于停运状态。屋外配电装置构筑物主体结构未见破损、完好;主控室四周墙壁裂缝较宽,须进行加固补强;宿舍楼摇摇欲坠,破损非常严重	0.10g/0.15g	Ⅶ度	适宜建站

变电站名称	距地震断裂带距离（km）	震害程度	地震前/地震后		场地适宜性
			地震加速度	地震基本烈度	
太白变电站	25	屋外配电装置构筑物未见破损，完好；主控综合楼及屋外配电装置构筑物主体结构未见破损，变电站正常运行；部分山墙、纵横墙裂缝较宽须进行加固补强；局部地段发生冒砂现象，地面出现沉降2cm～4cm	0.10g/0.15g	Ⅶ度	适宜建站
三合变电站	25	主控综合楼及屋外配电装置构筑物主体结构未见破损，完好；主控综合楼损害较严重，须进行加固补强	0.10g/0.15g	Ⅶ度	适宜建站

从上表中震害程度栏可看出：

(1)处于极震区的映秀二台山变电站距离发震断裂仅200m，主控楼等建筑物全部倒塌，构架、支架90％以上倒塌，整个变电站已彻底毁坏，实际地震烈度已达Ⅺ度，从场地适宜性方面看，完全可以判定为不适宜建站之列；

(2)同样处于极震区的拟建南坝变电站，距离断裂带较近的南坝镇大多数建筑物已倒塌或损毁，实际地震烈度已达Ⅹ度～Ⅺ度，但距离断裂带约850m、相对较远的南坝变站址及其周围校舍尚未出现房屋倒塌现象，实际地震烈度约为Ⅹ度，自然边坡整体稳定，地震后站址依然稳定，可以判定为适宜建站；

(3)江油大康、太白等变电站，由于距离断裂带均在10公里以上，震害相对较小，多数建筑物一般仅出现中等破坏，判定实际地震烈度约为Ⅶ度，判定为适宜建站；

(4)上述场地的实际地震烈度均大于地震基本烈度值，主要原因是由于5·12汶川地震出现的概率水平已远远超出了地震基本烈度所对应的50年超越概率10％的概率水平，甚至超出罕遇地震即 50 年超越概率 3%的概率水平。

根据 2008 年 6 月 11 日批准实施的《四川、甘肃、陕西部分地区地震动峰值加速度区划图》,二台山变电站和南坝变电站的地震基本烈度均由Ⅶ度提高为Ⅷ度。按照现行电力行业标准《变电所岩土工程勘测技术规程》DL/T 5170,抗震设防烈度为Ⅷ度时,避开断裂 300m 以上即可满足规程要求。实际上,二台山变电站和南坝变电站距离断裂带分别为 200m 和 850m,分别判定为不宜建站和适宜建站也是符合此规定的,但距离断裂带约 400m 的映秀镇和南坝镇却出现了建筑物普遍倒塌或大多数倒塌的现象,从建站适宜性方面讲,400m 距离仍然是不够的。从 5·12 汶川地震震害事例来看,认为将现行标准规定的 300m 限值调整为 800m 是必要的。

5·12 汶川地震后,国家电网公司颁布了《国家电网公司输变电工程抗震设计要点》,对变电站站址与断裂带之间的安全距离,规定了"地震基本烈度为 8 度时,宜避开断裂 800m,并宜选择断裂下盘建设"。该规定与现行电力行业标准《火力发电厂岩土工程勘测技术规程》DL/T 5074 中有关发电厂站址与断裂带之间的安全距离的规定完全一致,反映出有关部门对变电站,特别是重要的枢纽变电站的重要性和场地安全性要求已越来越高。

7.3 岩　　溶

本节所指的岩溶系碳酸盐类岩层发育的岩溶,不包含非碳酸盐类岩层所形成的岩溶。当变电站站址区域及其边缘、站址内部分地段有碳酸盐类岩层发育时,应按本节的规定进行勘测工作。

7.3.2 岩溶勘测的重点应是与站址建(构)筑物场地和地基有影响的地段,目的是评价场地和地基的稳定性和建站的适宜性,对岩溶场地和地基提出适宜的整治方案与处理措施。勘测工作应遵循先地表后地下,先控制后一般,重视工程地质测绘,有条件的地区可利用遥感影像图及航测图。

7.3.3 目前对岩溶发育程度的划分缺乏统一标准,现行电力行业标准《火力发电厂岩土工程勘测技术规程》DL/T 5074 提出了岩溶发育程度的分类等级及其判定标准,场地的岩溶发育程度见表 2。

表 2　岩溶发育程度分类

岩溶发育程度	岩溶点密度(个/km²)	钻孔线溶率(%)	场地岩溶现象
极强烈发育	>50	>10	地表常见密集的岩溶洼地、漏斗、落水洞、槽谷、石林等多种岩溶形态,溶蚀基岩面起伏剧烈;地下岩溶形态常见大规模溶洞、暗河或大型溶洞群分布
强烈发育	30～50	5～10	地表常见密集的岩溶洼地、漏斗、落水洞等多种岩溶形态,石芽(石林)、溶沟(槽)强烈发育(或覆盖),溶蚀基岩面起伏大;地下岩溶形态常见较大规模溶洞、暗河分布
中等发育	3～30	1～5	地表常见岩溶洼地、漏斗、落水洞等多种岩溶形态或岩溶泉出露,石芽(石林)、溶沟(槽)发育(或覆盖),溶蚀基岩面起伏较大;地下岩溶形态以较小规模溶洞为主
微弱发育	<3	<1	地表偶见漏斗、落水洞、石芽、溶沟等岩溶形态或岩溶泉出露,溶蚀基岩面起伏较小;地下岩溶以溶隙为主,偶见小规模溶洞

注:1　当同时满足表中两项条件时,即可判定为相应等级的岩溶发育程度。

2　表中洞径规模判定标准为:洞径大于 6m 为大规模;洞径 3m～6m 为较大规模;洞径 1m～3m 为较小规模;洞径小于 1m 为小规模。

3　表中岩溶基岩面起伏程度判定标准为:每 10m×10m 范围内,起伏大于 10m 为剧烈起伏、6m～10m 为起伏大、3m～6m 为起伏较大、小于 3m 为起伏小。

其中岩溶点密度是指每平方公里场地范围内分布的岩溶洼地、漏斗、落水洞、竖井,以及水平溶洞、暗河、岩溶泉露头等各种地表岩溶形态的个数;钻孔线溶率是指场地内各钻孔所揭示的溶蚀洞穴、溶蚀裂隙的总高度与进入碳酸盐类岩层的总进尺的百分比率。钻孔线溶率主要反映的是地下岩溶发育程度,而地表岩溶发育程度仅仅根据岩溶点密度来反映往往是不够的,实际工程中,在判定场地岩溶发育程度时,还应考虑溶沟(槽)和石芽(林)之间(尤其是隐伏岩溶)的基岩面起伏情况。

7.3.4 本条所列的地段对变电站场地稳定性及适宜性影响极大,选择站址时应避开。第1款所列情况对站址选择具颠覆性影响,其他款所列情况,或技术处理难度大,或工程处理费用昂贵,或存在一定的安全隐患,均为变电站工程选址时首先应予以避开的不利地段。

7.3.5 可行性研究阶段勘测应对各比选站址的岩溶发育程度、岩溶处理难易程度进行评价,对岩溶场地的稳定性和适宜性作出最终评价,推荐岩土工程条件较优的站址,预测可能的环境地质问题,彻底排除所推荐站址存在难以处理的浅埋暗河、厅堂式或大型廊道式溶洞或大型溶洞群的可能,确保推荐站址在下阶段勘测中不致得出相反的结论。

勘测范围应扩大到与场地有岩溶联系的各种大型岩溶通道,如暗河、厅堂式或大型廊道式溶洞或大型溶洞群。工程地质调查和测绘是本阶段的主要工作手段,不仅要查明岩溶的形态和分布,更要注意研究岩溶形成的机制和规律,工作内容应包括:

(1)查明岩溶的地表形态、类型、位置、标高、规模、埋藏情况、延伸方向,浅埋岩溶的顶底板形状与坡度、围岩结构及洞内的充填情况,洞体的稳定性、土洞的塌陷情况与形成因素等。必要时,应进行断面实测和摄影录像;

(2)调查岩溶发育与地层岩性、地质构造和地形地貌的关系,并根据岩溶发育程度的差异性,划分出不同岩溶岩组或岩溶发育区(带);

(3)调查岩溶水的类型、标高,所在的岩层层位、流向和流量的季节变化,以及与地表水体的关系。调查周围有无显著改变地下

水动态的因素,并判定对场地有无影响;

(4)调查土洞、塌陷和碟形洼地等地面变形的位置、形态、规模和分布密度,分析其产生的原因及发展趋势,并划分土洞发育程度区段;

(5)调查当地岩溶地基的勘测、设计和施工经验。

7.3.6 初步设计阶段勘测应着重对岩溶整治和地基处理方案进行优化论证,推荐岩土工程条件相对较好的地段作为变电站主要建(构)筑物的建设场地。因此,应进一步查明场地岩溶洞隙及伴生的土洞、落水洞、地表塌陷的分布、发育程度和发育规律,且应查明基岩面,特别是隐伏型岩溶基岩面的起伏情况。

勘测手段应以工程钻探为主,辅以适量的物探方法。勘探点间距应根据建(构)筑物重要性及岩溶发育程度确定,勘探点的布置以方格网状为主,但特别要考虑有可能发育岩溶的地段,在主要建(构)筑物地段应适当加密勘探点。勘探深度可在初步划定场地岩溶水平成层带的基础上,以揭穿对建筑地基有影响的该浅层发育带即可,故规程未对勘探点深度作具体规定,根据工程经验,一般在 20m 以内即可满足要求。当发现岩溶洞穴时,应加密勘探点进行追索性探查。

7.3.7 施工图设计阶段勘测应结合建(构)筑物基础位置进行。对主要建(构)筑物的框、排架柱列式独立基础或大直径桩基础,当岩溶微弱发育或不发育时可隔基钻探,而岩溶程度呈中等及以上发育时,应采用逐基或逐柱钻探,这不仅因为柱基和大直径桩基础荷重大,而且岩溶地区基岩面的起伏较大,相邻柱基间地层差异非常大,如不逐基进行钻探很难查明地基的变化情况。对整体基础、条形基础或其他地段,由于基础处于整体受力状态,勘探点间距按 15m～25m 控制。本阶段勘探孔深度要求是基于前阶段勘测已彻底排除场地内存在大规模岩溶洞穴的前提下提出的。

7.3.8 对于岩溶场地,经过可行性研究、初步设计和施工图设计三个阶段的勘测也很难将场地岩溶完全查清,在施工开挖过程中难免再出现新的岩溶问题。另外,在施工过程中,因设计方案变更或因新出现的岩溶问题会造成处理困难、费用较高,为保证工程的安全,需进行施工勘测。

1 采用大直径嵌岩桩及一柱一桩的建筑物,当岩溶洞穴、地下石芽或石林密布,溶沟溶槽等强烈发育时,必要时还应沿基础周线或桩周加密布置勘探点。

3 对基坑底出现的岩溶洞隙,可在坑底布置小口径钻孔或工程物探,查清洞隙延伸范围和充填物情况,探查深度不宜小于5m,为查明基坑底下有无土洞及基岩面的起伏情况,可布较密集钎探并注水探查。

7.3.9 当前岩溶评价仍以定性和经验为主,现行国家标准《岩土工程勘察规范》GB 50021 和《建筑地基基础设计规范》GB 50007 均列出可不考虑岩溶稳定性影响的情况。对岩溶地基的处理方案应针对具体条件进行分析,当岩溶隐伏在地下无法量测时,需边开挖边处理。

7.4 边　　坡

本节所指的边坡是变电站建设过程中出现的边坡。自然边坡应在选址时作出初步判断,对初判为有可能不稳定的边坡,一般不宜作为变电站建设场地。

7.4.3 考虑到一级边坡破坏后果严重,以及高度超过30m的岩质边坡、超过15m的土质边坡需进行特殊设计,因此应进行专项岩土工程勘测。

边坡勘测是否要分阶段进行,应视工程实际需要而定。大型的和地质环境条件复杂的边坡很难在一次勘测中将主要的岩土工程问题全部查明,而且对于一些大型边坡设计往往也是分阶段进行的,因此有必要分阶段进行勘测;对于工程地质条件较简单的中、小型边坡,可选择某一适宜的工程勘测阶段进行一次性的专门勘测;其他情况可随站内建(构)筑物的各阶段勘测一并进行,但应满足边坡勘测的深度和要求。

只有当大型复杂边坡的存在成为建筑场地取舍与比选的主要条件时,才应提前进行专项勘测,目的是为决策者对拟选场地作出抉择,避免工程勘测与设计工作进入后期出现边坡问题,而否定建筑场地或造成追加大量边坡工程治理投资。

7.4.5 边坡勘测的主要目的是查明边坡的工程地质和水文地质条件,确定边坡类别,判断边坡可能的破坏模式,提供设计所需的、准确的与破坏模式、工况和计算方法相适应的岩土参数,分析评价边坡稳定性,提出相应的整治措施和监测方案建议。

1 对变电站而言,可行性研究阶段是对场地的初次勘测,应在工程地质测绘或调查的基础上,适当布置一些钻探、坑(井)探和槽探等工作,初步查明边坡及附近的地质条件,分析边坡可能的破坏模式。

2 初步设计阶段勘测要求在查明各边坡地段工程地质条件的基础上,复核边坡的破坏模式,对可能失稳的边坡地段着重进行勘测工作,获取边坡稳定性验算所需的岩土技术参数,布置计算剖面,通过边坡稳定性分析和计算,对边坡整体和局部地段的稳定性做出评价。

3 当初步设计阶段勘测总平面布置方案尚未最终确定,以及大型和地质环境条件复杂的边坡,其工程地质问题在初步设计阶段勘测中没有全部查明时,施工图设计阶段勘测就应着重对不稳定或需整治的边坡地段、经初步设计审查后可能导致的设计方案变更部位和地段进行勘测,并查明尚未解决的所有边坡工程地质问题。

4 施工勘测应配合一级边坡工程的动态设计进行,一方面核对地质资料,同时对施工开挖进行指导。

7.4.6 勘探范围的确定应考虑可能对建筑物有潜在安全影响的区域,并满足边坡稳定计算所需范围的要求。

本条中规定的勘探线、点间距是以能满足查明边坡地质环境条件的需要而确定的,本条仅规定了最小取值。各阶段勘探线、点间距应根据边坡安全等级、边坡破坏模式、场地复杂程度和地区经验确定。崩塌型岩质边坡勘探线、点间距可适当放宽。勘测时应特别注意查明有无顺坡向的软弱夹层或软弱结构面分布。

7.4.9 抗剪强度试验指标应根据土质条件和工程实际情况确定,其正确确定是边坡设计和稳定性分析的关键。对土质边坡,当处于稳定状态时采用峰值抗剪强度乘以 0.8 折减系数的折减值,若已经滑动则应采用反复直剪的残余抗剪强度,若处于饱水状态时应用饱和状态下的试验值。对于岩质边坡,当边坡的稳定性由结构面控制时,结构面的抗剪强度指标宜根据现场原位试验确定,当无现场试验条件又无法取得室内试验指标时,可根据结构面的结合程度和反分析计算结果综合确定。

7.4.10 边坡稳定性分析应先进行定性分析,即确定破坏模式,然后进行定量计算,定量分析宜采用多种方法综合确定。工程地质类比、图解分析和极限平衡计算是边坡稳定性分析常用的三种方法,对大型复杂的边坡,有条件时可采用有限单元法等数值分析法。

7.4.11 附录 A 中规定的边坡容许坡度值是多年工程实践经验的总结,可作为确定人工开挖永久性边坡最优坡形与坡角的依据。由于有些边坡的工程地质条件较为复杂,与临近边坡建(构)筑物的安全等级不同,在确定边坡的容许坡度值时,尚应结合当地经验。当边坡的高度较大时,边坡是否采用一坡到顶或分台阶设计,应分析研究具体的情况确定。

7.5 采 空 区

7.5.1 采空区是指地下矿产被采出后留下的空洞区,一般可分为古采空区、现采空区和未来采空区。古采空区指采用坑道、人工挖掘等落后技术完成开采,没有相关采矿、地表变形记录资料的区域。现采空区和未来采空区指采用现代开采技术,具有相关采矿、地表变形记录的已采、在采或准备开采的区域,已完成开采的是已采区,正在开采的是在采区。矿体被采出后,自顶板岩层向上形成跨落带、裂隙带和弯曲带,地表沉陷,产生连续和非连续变形,因此站址应避开现采空区和未来采空区,尽量选择已充分采动的沉陷稳定区。

本条规定了采动影响区适宜建设的场地条件。充分采动是指采空的长度和宽度大于或等于开采深度,地表移动盆地呈盘状,地表出现应有的最大变形值。煤矿生产用巷道、运煤道路等或为保证工业广场、村庄、铁路等设施安全留设的永久保护煤柱,为采动影响区相对稳定的地段,一般称之为"安全岛"。

7.5.2 由于采动影响的复杂性,对变电站的安全、投资影响较大,在采动影响区建设变电站,应进行专门的勘测和评价工作,评价建筑场地的适宜性,并提出处理措施的建议。

7.5.4 采空区的勘测手段以资料收集和现场调查为主。在实际工作中,资料的收集存在很大的难度,资料的准确性存在一定的不确定性,因此对资料的验证是非常必要的。近年来,随着物探技术的发展,地质雷达、高密度电法、三维地震和瞬变电磁等手段大量应用于采空区的勘测工作中,积累了一定的工程经验,但由于物探工作自身的特点,适量的钻探验证是非常必要的。

7.5.5 采动影响引起的地表移动变形在空间上是多维的,采矿和顶板管理方法是最主要的影响因素。地表移动变形在时间上是动态和渐进的,地表移动变形的持续时间与开采深度、采煤方法、上覆岩层性质等因素有关,不同的采矿和顶板管理方法相应的地表移动变形量及其延续时间都不相同。因为地质条件和矿山开采条件的复杂性,目前的地表移动变形预计的精度还不高,与实际还存在一定的误差,因此,为确保变电站的安全运行,对受采动影响的变电站,应根据工程需要进行长期变形观测。

7.6 填 方 工 程

7.6.1 填方工程是指为提高场地标高,通过勘测、设计和施工等有组织的工程活动,达到预期工程目的的过程。

7.6.3 对于取料场地,土石比例将直接影响开挖方式、填方质量控制标准、施工工艺及工程造价,所以需查明取料场地的土石比例。勘探点深度应根据取料深度、填方厚度和下伏岩土性质确定,对取料场地,勘探点深度不宜小于1倍的取料深度;对基岩堆填场地,勘探点深度不宜小于0.5倍的填方厚度;对土层堆填场地,勘探点深度不宜小于1倍的填方厚度。在预定勘探深度内遇到软弱地层,勘探点深度应适当加深或穿透软弱地层。

7.6.4 对于填料为细粒土的应进行室内击实试验,测定填料最优含水量和最大干密度;对于填料为粗粒土的应进行现场原体试验确定填方质量控制标准以及施工工艺,其承载能力、压缩性等应通过现场载荷试验确定。

7.6.5 根据近年来压实填土边坡工程应用经验,可采用设置堆石棱体、重力式挡墙、抗滑桩或埋设土工格栅等加强措施。

7.7 桩 基 工 程

7.7.1 本条规定了桩基勘测的主要内容。

4 桩端持力层为基岩时,应通过钻探、井探手段,或根据具体情况采用地表露头的调查测绘和物探等方法,查明基岩的构造,包括产状、断裂、裂隙发育程度以及破碎带宽度和充填物等。

6 桩基施工对周围环境的影响主要有打入预制桩和挤土成孔的灌注桩的振动、挤土对既有建(构)筑物、道路、地下管线设施和附近精密仪器设备基础等带来的危害以及噪声等公害。

7.7.3 桩基勘测应分阶段进行,各阶段的任务和工作深度是不同的。

1 可行性研究阶段勘测应初步查明站址地层的分布情况及

其性质,提出可供选择的桩端持力层的适宜性及其特点,进行桩基方案论证,考虑不同等级建(构)筑物的要求,推荐一个或两个技术可靠、经济合理的桩型。在桩基选型时,除应充分论证所选桩型的技术可行性外,尚需考虑环保要求、施工条件、材料来源、工程投资及本地区的建筑经验等因素。

2 初步设计阶段勘测的重点是最终确定桩型、桩长、单桩承载力,为桩基设计提供依据,为此应进一步查明建筑场地内地层的垂直和水平分布规律及性质。

3 施工图设计阶段勘测应按建筑物位置布置勘探工作,详细查明各建筑地段的岩土工程条件,为设计与施工提供技术参数。

7.7.4 勘探深度的确定既要满足选择持力层的需要,又要满足计算基础沉降的需要。群桩的压缩层深度自桩尖平面算起,计算到附加压力等于土的自重压力的 20%处。

对于以端承为主的桩型,其持力层必须具有足够的强度和厚度。勘探孔进入持力层深度的原则是应超过预计桩端全断面进入持力层的一定深度。

7.8 地基处理工程

7.8.1 变电站地基处理的岩土工程勘测应结合各勘测阶段任务要求进行,综合论证地基处理方式,提供地基处理设计所需的岩土特性参数,对地基处理施工提出施工参数和施工控制指标,并对施工产生的岩土工程问题提出预案。

7.8.2 换填垫层一般适用于浅埋基础且基础埋置深度附近存在有淤泥、淤泥质土、湿陷性黄土、填土等地层,勘测中应查明上述岩土的分布范围、厚度、工程性质,结合地下水埋藏条件、上部建筑物对地基的要求等确定需换填的范围和深度,提出对换填材料、换填施工的基本要求。

7.8.3 压实、夯实一般适用于松散的砂土、粉土、湿陷性黄土、填土等地层,在查明上述岩土的分布厚度、工程性质、地下水埋藏条件后，设计选择适宜夯击能和夯击遍数。施工前可通过试验确定施工参数。

7.9 特殊性岩土

7.9.1 软土一般在静水环境条件下沉积，具有明显的成层特性。地表土体在干缩、淋滤等作用下，一般会形成一层含水量较低、工程性质较好的"硬壳层"。该层对于荷载较小的建（构）筑物基础设计有重要意义，因此勘测时应注意查明硬壳层的分布和厚度及其工程性质。

1 软土的固结历史决定软土处于正常固结状态还是超固结状态。对于超固结状态的软土，当基底压力小于前期固结压力时，基础沉降较小，因此前期固结压力的确定对于基础设计具有重要意义。

2 对于软土勘测，采用静力触探或十字板剪切试验等原位测试方法，可避免取土扰动的影响。软土地区原位测试结果与土的力学指标之间，已经积累了大量的经验关系，因此采用原位测试方法配合钻探，可起到事半功倍的效果。

7.9.2 本条仅针对既有填土，填方工程在本标准第7.6节中已有规定。填土的勘测方法应针对不同的物质组成，采用不同的手段。轻型动力触探适用于黏性土、粉土和素填土，静力触探适用于冲填土和黏性土、素填土，动力触探适用于粗粒填土。杂填土成分复杂，均匀性很差，单纯依靠钻探难以查明，应有一定数量的探井。

7.9.3 湿陷性黄土具有很强的结构性，钻孔中取样容易产生扰动，勘测需采用以探坑、探井为主，辅以钻探和原位测试方法。

7.9.4 膨胀岩土的勘测工作应着重于工程地质测绘与调查，查清地貌形态、膨胀岩土外观特征、现场建（构）筑物损坏和不良地质作用的发育情况和原因分析，在此基础上布置勘探工作，其勘探点数量应比非膨胀土适当增加一些。

7.9.5 原生红黏土比较易于判定，但次生红黏土具备某种程度的过渡性质,实际工作中宜通过第四纪地质和地貌的研究,根据红黏土特征保留的程度综合判定。

地表裂缝是红黏土地区的一种特有现象,其长度可达数百米,深度可延伸至地表下数米,使地基承载力明显下降,所经之处地面建筑损坏,故评价时应建议建筑物避免跨越地表裂缝密集带或伸长地段。

当地基不均匀、岩土体内有洞穴发育时,施工图设计阶段勘测难以查明地基各岩土层的分布和所有土洞的发育情况,为确保工程安全和经济合理,进行施工勘测是必要的。

7.9.6 不同气候条件和不同岩类具有不同的风化特征。花岗岩类多沿节理风化,风化厚度大,且以球状风化为主;层状岩多受岩性控制,硅质比黏土质不易风化,风化后层理尚较清晰,风化厚度较薄;可溶岩以溶蚀为主,有岩溶现象,不具有完整的风化带,风化岩保持原岩结构和构造,而残积土则已全部风化成土,矿物结晶、结构、构造不易辨认,呈碎屑状的松散体。

风化岩和残积土勘测对不同的工程应有所侧重,作为建筑物天然地基时,应查明岩土的均匀性及其物理力学性质;作为桩基础时,应重点查明破碎带和软弱夹层的位置和厚度等。

7.9.7 本条仅针对多年冻土。我国多年冻土主要分布在青藏高原、帕米尔高原及西部高山和东北的大小兴安岭等地,近几年我国开始在多年冻土区新建变电站。本次修订增加了多年冻土。

多年冻土的融沉性(或称融陷性)是对工程的主要危害。多年冻土的融沉分级可按现行国家标准《岩土工程勘察规范》GB 50021 执行,冻胀分级可按现行国家标准《冻土工程地质勘察规范》GB 50324 的规定执行。

多年冻土的设计原则有"保持冻结状态的设计"、"逐渐融化状态的设计"和"预先融化状态的设计",不同的设计原则对勘测的要求是不同的。多年冻土上限及其变化值是各项工程设计的主要参数,确定方法可采用野外直接测定、用有关参数或经验方法计算。

为减小钻进过程中产生的摩擦热,保持岩芯核心土温不变,要求孔径要大,钻速要低,回次钻进时间要短,进尺长度要小。同时钻进冲洗液可回入适量食盐,以降低冰点。所取冻土试样要立即冷藏,并尽快试验。

7.9.8　盐渍土对工程的影响主要体现在溶陷性、盐胀性和腐蚀性三方面。对于西北地区含盐量较高的盐壳层,受盐分胶结作用,土体强度较高,在基础开挖或场平回填时,存在开挖困难或回填破碎困难。

　　同一场地,盐渍土的含盐量受季节影响较大,旱季含盐量高,雨季含盐量低。因此盐渍土的取样宜在干旱季节进行。考虑到钻孔取样受钻探温度变化影响及冲洗液影响较大,盐渍土地区勘测宜布置一定数量的探井或探坑,取得原状土样,并便于对坑壁盐分的分布特征、粗颗粒之间的接触关系等进行详细的观察。

8 地 下 水

8.1 地下水的勘测要求及方法

8.1.1 随着特高压工程、大型地下变电站的建设,变电站建设规模不断扩大,基础埋深增加和基础形式多样化,地下水对基础工程的影响越来越突出,因此在岩土工程勘测中,除查明地下水类型、埋藏条件,含水层性质和变化幅度,补、排条件和地下水与地表水的水力联系外,还需查明地下水位和水量的变化规律。

8.1.3 抽水试验所得到的渗透系数一般可用于预测基坑排水、用水量和供水量计算,也可用于预测和评价工程地基、基坑支护结构和周围的渗透量。一般对于涉及承压水控制的基坑工程,应进行专项承压水抽水试验,获取降水影响范围内的含水层或含水层组的水文地质参数。相关计算可按现行国家标准《供水水文地质勘察规范》GB 50027 执行。

8.1.4 压水试验一般在钻孔中的岩石段进行,可以作为判断岩体破碎程度的一种间接方法。具体可按现行电力行业标准《水电水利工程钻孔压水试验规程》DL/T 5331 执行。

8.1.5 孔内水位量测往往是容易疏忽或误判的一项重要工作,本条侧重于对地下水水位的真实性和统一性量测作出了规定。

8.1.6 地下水多在钻孔中采取,而采用泥浆钻进的钻孔内的水质不能代表天然条件下的水质情况,因此要求钻孔中取水样应在洗孔后采取。

8.2 地下水作用的评价

8.2.1 地下水对岩土体和建筑物的作用按其机理可划分力学作用和物理化学作用。力学作用是可以定量计算的,物理化学作用一般难以定量计算,可以通过定性分析得出评价结果。

地下水对基础的浮力作用,在静水环境中可以用阿基米德定理计算,在透水性好的土层或节理发育的岩石地基中,计算结果即等于作用在基底的浮力,但对于渗透系数很低的黏性土,由于渗透过程的复杂性,黏土中的基础所受到的浮托力往往小于水柱高度,应通过渗流分析得到。地下水升降引起岩土的软化、崩解、湿陷、膨胀、冻胀、融陷、潜蚀以及地下水对建筑材料的腐蚀等作用均属于物理化学作用,这类作用往往是一个渐变过程,开始可能不为人们所注意,但一旦发生就难以消除其影响。

8.2.2　无论用何种方法验算边坡和挡土墙的稳定性,孔隙水压力都会对有效应力产生影响,从而影响分析结果。当存在渗流时,渗流状态还会影响到孔隙水压力的分布,从而影响安全系数。

8.2.3　验算基坑支护结构的稳定性时,不论是水土合算还是水土分算的方法,都需要合理确定作用在支挡结构上的水压力。当渗流作用影响明显时,还应考虑渗流对水压力的影响。

渗流作用可能产生潜蚀、流砂、流土或管涌现象,造成破坏。以上几种现象都是因为基坑底部某个部位的最大渗流梯度 i_{max} 大于临界梯度 i_{cr},致使安全系数 Fs 不能满足要求。

为防止由于深部承压水压力引起的基底隆起,要求基坑开挖后不透水层的厚度 H 应满足下式的要求:

$$H \geqslant (\gamma_w / \gamma) \cdot h$$

式中:H——基坑开挖后不透水层的厚度(m);

　　γ_w——水的重度(kN/m³);

　　γ——土的重度(kN/m³);

　　h——承压水头高于含水层顶板的高度(m)。

8.2.4　岩溶地区地下水位以下开挖建筑物基坑时,产生突水的可能性非常大。如果产生突水,往往来水大,来势猛,因此在岩溶地区开挖基坑对地下水的勘测极为重要。如果地下水丰富,应提前采取降水措施。

岩溶塌陷是与岩溶地区抽水或降水密切相关的。由于抽水或降水使水位降低,减少了对岩溶或土洞的浮托力,严重时洞穴顶部产生真空,负压可使土洞逐渐扩大或破坏顶板。在抽水或降水过程中,水流状态的改变可将溶洞填充物带走,对顶部岩土产生潜蚀,产生土洞,并发展成为岩溶塌陷。

9 勘探、原位测试及室内试验

9.1 工程地质调查与测绘

9.1.1 工程地质调查与测绘的目的是初步查明场地的工程地质条件、存在的各种地质现象和主要地质问题，为下一步制订勘测方案提供依据。工程地质调查与测绘是整个场地勘测的先行工作，在研究程度低和缺乏资料的地区，特别是在山区和地质条件复杂的场地，应对拟建工程场地进行现场踏勘调查与测绘，对场地地质条件有概略性了解，这样制订的勘测方案才更有针对性。

9.1.2 本条所列的工程地质调查与测绘内容并不是每个建筑场地都会遇到，不同建筑场地有其不同的研究重点，在实际工作中应根据场地的地质条件结合拟建工程要求，有所侧重地进行调查与测绘工作。

9.1.4 本条对工程地质调查与测绘成果资料整理做了一般规定，若需解决专门的岩土工程问题，可编制专门的图件。在成果资料整理中应重视对各种素描图和照片资料的分析和整理，以重现一些重要的地质背景材料。对场地质条件复杂、调查与测绘内容丰富的工程，应单独提供工程地质调查与测绘报告。

9.2 勘探与取样

9.2.4 井探、槽探技术工作完成后一般都应及时回填，并应夯击或碾压，其密实度不应低于原土密实度，对于原来密实程度高的砂卵石之类的地层，可掺和石灰、水泥等硬、固性材料进行回填。

9.2.5 物探方法具有局限性和多解性，且都有一定的适用条件，一般宜选用多种物探方法进行综合物探勘测。物探方法选择和分析判别时,岩土工程师和物探工程师应密切配合。各种物探的测试方法应按现行电力行业标准《电力工程物探技术规程》DL/T 5159 执行。工程物探一般可解决以下问题:

(1)探查测区主要岩土层在水平向和垂直向上的分布规律;

(2)探查基岩顶面埋藏深度和起伏形态,划分基岩的风化程度与厚度;

(3)探查隐伏的断裂构造或断裂破碎带的位置、宽度和产状,追索断层;

(4)探查岩溶、土洞、地下洞室和废弃地下工程的位置和形态;

(5)探查滑坡体滑动面、软弱夹层的位置;

(6)探查掩埋古河道及冲洪积扇的埋深和分布范围;

(7)探查地下水的分布和埋藏,测定水文地质参数;

(8)测定岩土的物理力学性质参数和场地卓越周期。

9.2.6 本条对一般岩土的取样作出了规定。对于特殊性岩土的钻探取样,相关岩土勘察技术标准都有规定,应参照执行。

9.3 原 位 测 试

9.3.1 在岩土工程勘测中,原位测试是十分重要的手段,在探测地层分布、测定岩土特性,确定地基承载力方面,有突出的优点。为了便于选择,附录 B 列出了各种原位测试方法的适用条件、测试目的和所能提供的岩土参数。采用新的原位测试技术时,应先与已有成熟的测试方法和室内试验成果对比分析,当取得较好的相关关系时才能使用。

本次修订增加了旁压仪测试和扁铲侧胀试验,主要考虑到近年来在大型地下变电站勘测中广泛使用,主要用于测定土的静止测压力系数和水平向基床系数等,并取得了较好的效果。

9.3.3 由于我国各地的地层条件、岩土特性有很大差别,建立地区性的原位测试成果经验关系是非常必要的。

9.3.4 原位测试所得的试验数据,其影响误差的因素是较为复杂的,主要由测试仪器、试验方法、操作技能、土层的不均匀性等引起。

9.4 室 内 试 验

9.4.1 根据工程实际,试验项目和方法的选择应有明确的目的和针对性。由于室内条件不能完全反映现场岩土所处的原位实际情况,在进行岩土工程评价时,室内试验数据应与相应的原位测试成果比较,必要时经修正后确定。

9.4.4 采用常规固结试验求得的压缩模量和一维固结理论进行沉降计算,是目前广泛采用的方法。考虑土的应力历史,按 $e\text{-}\log P$ 曲线整理固结试验成果,计算压缩指数、回弹指数,确定先期固结压力,并按不同的固结状态进行沉降计算的方法,是目前国际上通用的方法,因此本条作了相应的规定。一般而言,对于计算沉降要求不高的二、三级建(构)筑物地基土可采用 1h 快速固结试验法,计算沉降要求较高的一、二级建(构)筑物地基土应采用标准固结试验或次固结增量法校正试验。

9.4.5 本条对抗剪强度试验进行了规定。

1 排水状态对三轴试验成果的影响很大,试验时的排水状态尽量与工程实际相一致。对饱和黏性土,当加荷速率较快时宜采用不固结不排水(UU)试验;对经预压处理的地基、排水条件好的地基、加荷速率不高的工程或加荷速率较快但土的超固结程度较高的工程,以及需验算水位迅速下降时的土坡稳定性时,可采用固结不排水(CU)试验;当需提供有效应力抗剪强度指标时,应采用固结不排水测孔隙水压力试验(CU);对加荷速率较慢的建筑地基土,应采用固结排水(CD)试验。

3 无侧限抗压强度试验实际上是三轴试验的一个特例,适用于 $\phi \approx 0$ 的软黏土,对塑性指数低的土试样进行了限制,国际上使用较多,但对试样等级作了严格的规定。

4 测定已存在滑动面上土的残余强度时,应采取滑动带上或滑动带附近的土做反复直剪试验。

9.4.6 常水头渗透试验适用于渗透系数较大的土,通常指 $K = 10^{-3} \sim 10^{-2}\,\mathrm{cm/s}$;变水头渗透试验适用于渗透系数较小的土,通常指 $K = 10^{-6} \sim 10^{-3}\,\mathrm{cm/s}$,即上述两种方法仅适用于渗透系数 $K = 10^{-6} \sim 10^{-2}\,\mathrm{cm/s}$ 的土类,至于极高或极低透水的土,需采用特殊的试验方法或间接换算确定渗透系数。

9.4.7 本条只规定了对岩石试验的基本要求,具体试验方法按现行国家标准《工程岩体试验方法标准》GB/T 50266 执行。点荷载试验和声波速度试验均为间接试验方法,利用试验关系确定岩石的强度参数,在实际工程中是很实用的方法。

9.5 土壤电、热参数测试

9.5.2 场地土壤电阻率量测方法选择可根据设计对量测深度的要求选用对称四极电测深法、瞬变电磁法、大地电磁测深法(MT)、连续电磁剖面法(EMAP)中的一种或几种。当采用对称四极电测深法时,其最大供电电极距 AB/2 应大于设计要求深度的 3 倍。对于接地极场地,应同时测量浅层和深层土壤电阻率,深层土壤电阻率的测量深度一般应大于 1 倍场地直径。

9.5.3 本条对土壤电阻率的布点作了基本规定,具体应根据工程实际情况来确定。现行电力行业标准《电力工程物探技术规程》DL/T 5159 按不同规模等级的变电站对测点数量作出了具体规定:一级工程测网密度不应大于 20m×20m,二级工程测网密度不应大于 30m×30m,三级工程测网密度不应大于 40m×40m。一个测点代表的面积在 $400\mathrm{m}^2 \sim 1600\mathrm{m}^2$ 之间,与本条规定是一个中值,两者相差不大,因此在实际工程中可以参照执行。

常见岩土介质电阻率值见表3。

表3 常见岩土介质电阻率值

介质名称	电阻率 ρ ($\Omega \cdot m$)	介质名称	电阻率 ρ ($\Omega \cdot m$)
泥岩	$10 \sim 10^2$	辉长岩	$5 \times 10^2 \sim 10^5$
泥灰岩	$50 \sim 8 \times 10^2$	玢岩	$5 \times 10^2 \sim 10^5$
泥质页岩	$20 \sim 10^3$	橄榄岩	$5 \times 10^2 \sim 10^5$
泥质砂岩	$10 \sim 10^2$	片麻岩	$2 \times 10^2 \sim 5 \times 10^4$
石英砂岩	$10^2 \sim 10^3$	片岩	$2 \times 10^2 \sim 10^4$
红砂岩	$10 \sim 10^2$	板岩	$10 \sim 3 \times 10^2$
砾岩	$10 \sim 10^4$	大理岩	$10^2 \sim 10^4$
石灰岩	$3 \times 10^2 \sim 10^4$	黏土、粉质黏土	$10 \sim 10^3$
白云岩	$10^2 \sim 10^4$	淤泥质黏土	$1 \sim 10^2$
炭质岩层	$1 \sim 10^2$	粉土	$10 \sim 10^3$
盐岩	$10^4 \sim 10^8$	黄土	$30 \sim 2.5 \times 10^2$
石膏	$10^2 \sim 10^8$	湿砂、卵石	$10^2 \sim 10^3$
凝灰岩	$10^2 \sim 2 \times 10^3$	干砂、卵石	$10^3 \sim 10^5$
花岗岩	$2 \times 10^2 \sim 10^5$	黏土含砾石	$80 \sim 2.5 \times 10^2$
玄武岩	$5 \times 10^2 \sim 10^5$	黏土夹块石	$4 \times 10^2 \sim 6 \times 10^2$
闪长岩	$5 \times 10^2 \sim 10^5$	砾石夹黏土	$2 \times 10^2 \sim 7 \times 10^3$
正长岩	$5 \times 10^2 \sim 10^5$		

9.5.4 土壤热参数测试可选择室内试验和现场测试两种方式。测定热参数的试验方法较多,各种方法有一定的适用范围,测试前宜考虑实际工况,选用合适的测量方法。

9.5.5 本条对土壤热参数的现场测试和室内试验作出了原则性的规定。

1 现场测试的测点布置数量与现行电力行业标准《电力工程物探技术规程》DL/T 5159一致。

2 试验数量规定与现行电力行业标准《高压直流输电大地返回系统设计技术规范》DL/T 5224的规定一致,土试样原则上应选用Ⅰ、Ⅱ级土试验,土样直径不宜小于50mm,土样长度至少应超过针探长度的20%,且长度不宜小于50mm。当若无法采取时,也可以采集扰动土试样重新配制,在薄壁金属或塑料管中制配时,管的直径不宜小于50mm,土样长度至少应超过针探长度的20%,通过适当的压实技术制配土样时,应使其达到所需的密度和含水量。

3 土的热参数与土的密度、含水率及化学成分有关。热导率随密度和含水率的增加而变化,而含水率对热容率的影响较大。此外,相同密度及含水率情况下,化学成分不同,测试值也相差较大。

常见岩土的热导率值、热容率值参见表4和表5。

表4　常见岩土的热导率值

介质名称	热导率 [W/(m·℃)]	介质名称	热导率 [W/(m·℃)]
泥质页岩	1.40~2.25	砾岩	2.98~4.18
泥质砂岩	1.97~3.20	凝灰岩	1.20~3.92
红砂岩	1.89~2.65	石英砂岩	5.40~6.23
致密砂岩	3.70~5.20	大理岩	2.70~3.48
泥灰岩	1.36~2.34	片麻岩	1.90~3.70
泥岩	2.10~4.78	黏土、粉质黏土	0.73~2.40
石灰岩	1.70~3.30	淤泥质黏土	0.20~0.65
白云岩	2.63~3.97	粉土	0.63~1.79
花岗岩	2.68~3.35	干黏土	0.35~0.49
玄武岩	1.50~2.20	干粉土	0.33~0.44
闪长岩	2.60~3.50	湿砂、砾石、卵石	1.73~3.16
辉长岩	2.00~2.30	干砂、砾石、卵石	0.27~1.05
玢岩	3.00~4.00	盐岩	5.00
橄榄岩	3.70~5.20	石膏	0.30

注:表中热导率为室温、天然含水量状态下的热导率。

表5 常见岩土的热容率值

介质名称	热容率[J/(m³·℃)]×10⁶		
	干	50%饱和度	100%饱和度
黏土、粉质黏土	0.79～1.15	1.28～1.99	2.41～3.43
粉土	0.88～1.12	1.52～2.17	2.55～3.41
砂	0.95～1.26	2.22～2.92	3.43～5.18
卵石	0.56～0.71	0.89～1.53	—

10 原 体 试 验

10.0.1 原体试验通常包括两大类，即桩基原体试验和人工地基（包括预压法、强夯法、注浆法和复合地基等）原体试验。

10.0.2 原体试验是电力行业的通行做法，通过原体试验不仅可以为岩土工程设计和施工提供参数，确定最佳的施工工艺，更重要的是通过对设计方案和施工工艺的优化，节约工程投资，确保施工质量，确定合理的施工周期。

10.0.4 原体试验通常需要采用多种勘探手段和测试方法对地基处理前后地基土的性状作对比分析，而且要动用地基施工和测试设备，试验工期长，试验费用较大，因此原体试验事先应周密计划，编制详细的原体试验工作大纲，并由业主方组织对大纲评审。

10.0.5 条文中"代表性的地段"主要指进行原体试验场地的地质条件如地层结构、工程性质、地下水条件等，以及地形、标高应与拟采用该地基处理方法的建筑场地的条件基本相同或相近。

10.0.8 地基处理后，复合地基承载力应采用静载荷试验（包括复合地基静载荷试验，单桩、桩间土静载荷试验）方法确定，静载荷试验应加载至极限状态，测试所试验方法在一定条件下达到的极限能力，作为优化设计依据之一。地基处理效果的检测，可根据处理方法的不同，采用钻探、坑探及原位测试等手段，进行处理前、后的对比和分析。

10.0.11 原体试验成果应加强对试验结果的分析研究，明确提出地基处理后的地基承载力或单桩极限承载力，并通过对所试验的各地基方案的试验成果，从施工工艺、效果、质量和投资等方面进行技术和经济比较，推荐用于工程设计的地基处理方案、设计参数、施工工艺优化的建议以及质量检测的方法和标准。

11 现 场 检 验

11.0.1 现场岩土工程检验是岩土工程勘测的一个重要环节,其主要目的是检验勘测、设计、施工是否符合工程场地的实际情况,以确保工程建设质量安全,做到工程建设经济合理。

11.0.2 现场检验一般在进行直观检验后,进行钎探试验,也可采用小范围开挖等方法予以检验。

11.0.4 开挖边坡进行检验时,应根据边坡勘测资料,检查边坡地质条件和地貌特征是否与资料相符,对边坡的稳定性是否存在影响,并观察可能存在的不良地质作用。

12 岩土工程分析

12.1 一般规定

12.1.1 变电站岩土工程分析应在踏勘搜资、工程地质勘探、原位测试、室内试验的基础上，结合变电站规模、平面布置，按照不同勘测阶段的要求，重点对场地条件、岩土性质作出分析与评价，推荐适宜的基础持力层，预测岩土工程施工中可能存在问题。对如基坑开挖、施工降水、边坡支护、人工地基等应提供相应的设计参数和施工建议。

12.1.2 变电站工程的建设规模及站址条件差异较大，勘测工作应以满足各设计阶段的要求为前提，对岩土工程条件简单的场地可合并进行。

12.1.3 本条强调在岩土工程分析过程中应注意的基本问题，坚持从宏观到微观、以现实预测未来，并将地区经验和工程实测数据有机结合。

12.2 岩土参数分析

12.2.1 在分析和确定岩土参数时，要结合工程特点和场地岩土条件进行，对所选择的参数应力求科学准确。

12.2.2 本条强调要结合岩土参数的自然特性、环境特性，综合分析取得岩土参数的各种手段和试验方法，充分考虑各种因素对指标的影响，经分析、筛选、统计后提出具有代表性和可靠性的岩土参数。

12.2.3 分析岩土参数随深度和水平方向上的变异规律，有助于正确掌握岩土参数的变异特征。

12.3 地基基础分析评价

12.3.1 本条规定了天然地基分析与评价的基本内容。变电站天然地基分析与评价,应在充分认识场地岩土条件的前提下,并依据可靠的岩土参数进行。

12.3.2 岩土性状和分布的均匀性,对地基基础形式和建(构)筑物的沉降有很大的影响。本条对不均匀地基土提出了定性的标准。

12.3.4 本次修订删除了原规程附录中的土(岩)承载力特征值表。如需计算确定地基承载力可依据现行国家标准《建筑地基基础设计规范》GB 50007 的有关规定。

12.3.6 变电站工程进行地基处理或采用桩基础,目的是为了提高地基土的承载力,改善地基土变形条件,全部或部分消除液化、湿陷、软土地基的不利影响,保证安全运行。

12.3.7 变电站内建(构)筑物高度较小、荷重不大、基础埋置深度较浅,从技术可靠、经济合理的原则出发,浅层地基处理宜优先考虑。

12.3.8 地基处理或桩基础应在全面论证和优化的前提下提出,勘测资料应翔实、准确,并注意结合当地建筑经验,同时要调查当地建筑材料供应、施工技术力量、施工工艺等条件,最终确定地基处理或桩基方案。

13 勘 测 成 品

13.0.1 在引用或利用以前各阶段勘测成果及搜集的资料时，应检查和分析，确定与现行技术标准一致并且准确后方可使用。

13.0.2 不同勘测阶段岩土工程勘测的目的和任务各有不同，所以本条规定各阶段岩土工程勘测报告的内容各有侧重。

13.0.3 可行性研究阶段岩土工程勘测报告应对站址稳定性作出确定性评价，并对各站址工程地质条件，包括地形地貌、地基岩土构成及工程性质、地下水条件等，以及不良地质作用和环境工程地质问题等进行分析，对地基类型、地基处理方法及桩基方案等提出意见及建议，推荐岩土工程条件较好的站址。在结论与建议中需按岩土工程条件进行站址排序。

13.0.4 初步设计和施工图设计阶段岩土工程勘测报告应对站址工程地质条件进行分析与评价，如需要，应按不同建筑地段分别作出岩土工程评价，并提出地基基础设计、不良地质作用整治等所需岩土参数及设计、施工应注意的事项。在结论与建议中需给出地基岩土主要物理力学指标推荐值、岩土工程建议和意见。

13.0.5 本条列出的图表可视勘测阶段、工程情况及设计要求确定。

13.0.6 编制专题报告是为了对专门地质问题深入认识、充分论述，将其作为勘测报告的补充和延伸。站址区域构造稳定性分析报告主要含站址区活动性断裂评价、地震基本烈度复核等内容。

13.0.7 本条规定仅适用简单场地的单项工程。在满足设计要求的前提下，可简化勘测成果的整理形式。

S/N:1580242·696

9 158024 269604

DL/T 5170—2015

增值服务
真伪查询
网址:www.jhpress.com
电话:400-670-9365
进入官方微信
刮涂层查真伪

中华人民共和国电力行业标准

变电站岩土工程勘测技术规程

DL/T 5170—2015

代替 DL/T 5170—2002

☆

中国计划出版社出版

网址:www.jhpress.com

地址:北京市西城区木樨地北里甲 11 号国宏大厦 C 座 3 层

邮政编码:100038　电话:(010)63906433(发行部)

新华书店北京发行所发行

北京市科星印刷有限责任公司印刷

850mm×1168mm　1/32　4 印张　99 千字

2015 年 8 月第 1 版　2015 年 8 月第 1 次印刷

印数 1—5000 册

☆

统一书号:1580242·696

定价:36.00 元